LES SORTILÈGES DE L'AMOUR

Déjà parus
dans la collection « Turquoise »

1. La nuit est a nous. Nelly
2. Jusqu'au bout de L'amour. C. Pasquier
3. La fiancée du désert. E. Saint-Benoît
4. Coup de foudre aux caraibes. B. Watson
5. Tempêtes sur les cœurs. I. Wolf
6. Mirage a sans Francisco. A. Latour
7. Et l'amour, Batrice? A. Christian
8. Orages en Siciles. K. Neyrac
9. Revue d'amour a Venise. H. Evrard
10. L'inconnu au cœur fier. R. Olivier
11. Au-dela de la tourmente. Y. Wanders
12. L'Héritier de guérinville. C. Pasquier
13. Un volcan pour Élise. Ève Saint-Benoît
14. Le regard de l'amour. F. Harmel
15. Le cœur écartelé. B. Watson
16. Souvenir d'une nuit indienne. J. Fontange
17. Les pièges de l'amour. I. Wolf
18. Les lumières de beverly Hills. J. Nivelles
19. Comme un roseau. C. Beauregard
20. Un amour sauvage. R. Olivier
21. Tu es mon seul amour. Nelly
22. Le rendez-vous du bonheur. B. Watson
23. Albanes aux Iles. E. Reher
24. Le tourbillon des passions. C. Pasquier
25. Cyclone a Tahiti. C. Valérie
26. La course éperdue. J Fontange
27. La madone aux violettes. Ève Saint-Benoît
28. Une valse dans la nuit. Cécile Beauregard
29. Passion Maya. Agnès Pergame
30. Le serment de minuit. Karen Weyrac
31. L'Inconnu de l'Ile Bourbon. Olivier Deschamps
32. Le cœur vagabond. B. Watson
33. Flora. Paule Vincent
34. Le bal de L'empereur. Nelly
35. Le parc aux cerfs. J. Nivelles
36. L'inaccessible amour. Cécile Beauregard
37. Secrets ravages. Régine Olivier
34. Les amants de Saint-Domingue. Élisabeth Geoffroy
38. Sous les mousquets du Roy. Evelyne Deher
39. Les amants de Saint-Domingue. Élisabeth Geoffroy
40. Battements de cœur a Beattonsfield. Nathalie Saint-Leu
41. Les sortilèges de l'amour. Odile Granville
42. La nuit des insurgés. Marie Bergerac
43. Belle-Aurore. Georgina Hardy

A Paraître

44. Le sceau de la passion. Nelly
45. A l'ombre d'Esther. Claude Valérie
46. L'amour secret de Napoléon. Ève Saint-Benoît
47. Le Chevalier de Pontbriand. Dominique Saint-Michel
48. L'incroyable vérité. Caroline Pasquier
49. Mariage blanc. Cécile Beauregard.

ODILE GRANVILLE

LES SORTILÈGES DE L'AMOUR

PRESSES DE LA CITÉ

9797 rue Tolhurst, Montréal H3L 2Z7 - Tél.: 387-7316

ISBN 2 258 00678 3

ISBN 2-89116-029-0

I

A travers les hautes fenêtres on découvrait le parc du couvent voisin, comme il en existe encore beaucoup dans le quartier de Saint-Germain-des-Prés. Les arbres noirs étendaient leurs branches dépouillées vers le ciel bas. Paris attendait sa première neige de l'hiver. Demain matin, les enfants pousseraient des exclamations de joie lorsqu'ils se réveilleraient, en découvrant un voile blanc posé sur la ville. Mais en ce début d'après-midi, une bise glacée soufflait qui faisait presser le pas aux rares promeneurs.

Dans la vaste bibliothèque où travaillait Annie on ne sentait ni le vent ni le froid. Une douce chaleur régnait dans la pièce, comme dans tout l'hôtel particulier de la rue de Varenne, domicile de François Monceau, le célèbre romancier.

Les murs de la pièce étaient tapissés jusqu'au plafond de rayons chargés de livres. Sur une table basse des dictionnaires s'empilaient pêle-mêle avec des atlas. La sévérité du lieu était atténuée par les teintes chaudes du bureau et des fauteuils en acajou de Cuba. Deux confortables bergères recouvertes en daim couleur tabac se faisaient face près des fenêtres. Les doubles rideaux en lourde soie damassée beige encadraient les baies vitrées.

Chaque détail, jusqu'au choix du sous-main et du moindre accessoire, attestait que le maître de maison était un homme au goût raffiné.

Annie alluma le lampadaire en fer forgé, sortit d'un classeur des fiches blanches et s'installa au bureau. Elle avait beaucoup à faire, mais la perspective d'un après-midi de travail ne l'effrayait pas. Elle se plaisait dans cette pièce harmonieuse et calme, où la rumeur de la ville n'avait pas accès.

Tout à coup, des bruits la firent tressaillir. Des pas vifs sur le dallage en marbre du vestibule, une voix qui disait quelque chose qu'Annie ne comprit pas et la porte de la bibliothèque s'ouvrit brusquement. Un homme entrait. Il s'arrêta en découvrant Annie assise au bureau.

— Je n'ai pas le plaisir de vous connaître, dit-il d'un ton surpris. Puis-je savoir qui vous êtes ?

La voix était grave avec des intonations chaudes.

Annie le reconnut tout de suite. C'était lui, François Monceau, le célèbre romancier, l'auteur de tant de livres à succès. Une silhouette bien découplée dans un costume de voyage. Grand. Plus grand même qu'on ne l'imaginait en le voyant sur les photos des magazines ou aux émissions littéraires à la télévision. Plus mince aussi. Les cheveux noirs, les yeux bruns et ardents, le teint mat révélaient l'ascendance méridionale. La mâchoire était volontaire, le regard un peu hautain. François Monceau avait le charme conquérant des hommes de trente-cinq ans.

« Les échotiers ne se trompent pas, pensa Annie, quand ils le désignent comme le célibataire le plus séduisant du Tout-Paris. »

— Je suis Annie Robert, fit-elle en se levant. Votre

secrétaire, M. Dauphin, m'a engagée en qualité de documentaliste. Tous les matins je travaille à la Bibliothèque nationale où je réunis les renseignements qu'il me demande, et l'après-midi je suis ici.

— Ah oui ? dit François Monceau étonné. Est-ce à dire que c'est vous ma documentaliste ? C'est curieux !

Interloquée, Annie ne répondit pas. Qu'y avait-il donc de si curieux ? La trouvait-il trop jeune ? Trop peu convaincante ?

Ayant remarqué que M. Dauphin y attachait une très grande importance, Annie avait soigné sa mise dans le genre strict. Son abondante chevelure blonde était serrée sur la nuque en un catogan, son teint clair n'était avivé d'aucun fard et ses lèvres ne devaient leur teinte à aucun artifice. La seule coquetterie qu'elle s'était permise était un soupçon d'huile d'amande sur la pointe de ses longs cils noirs encadrant ses yeux d'un bleu changeant. Elle portait une jupe de lainage bordeaux, un chemisier rose et des talons bottiers.

Lorsqu'il l'avait vue ainsi, le sévère M. Dauphin, sans mot dire, avait approuvé d'un hochement de tête. Il semblait toujours regretter qu'Annie n'eût pas un âge canonique et un physique ingrat.

— Où est M. Dauphin ? reprit François Monceau.

— Il est allé examiner des livres rares que votre libraire lui a signalés. Il m'a laissée seule puisque ma tâche est tracée.

— Etes-vous à l'essai ou définitivement engagée ?

Le ton du romancier restait uni, mais une légère crispation de son visage trahissait la contrariété.

Annie n'appréciait pas du tout l'interrogatoire qu'elle devait subir.

— M. Dauphin m'a engagée de façon définitive, répondit-elle.

— Veuillez excuser mon étonnement, expliqua le romancier, mais avant mon départ pour les États-Unis un jeune homme, élève de l'Ecole des chartes, était virtuellement engagé. J'avais donné mon approbation à ce choix. Je rentre à l'improviste plus tôt que prévu et je vous trouve derrière ce bureau. Que s'est-il passé ?

Annie sentait monter sa colère. La défiance que lui opposait François Monceau la blessait profondément, d'autant qu'il ne prenait nul soin de la cacher. Elle se contraignit à répondre calmement :

— J'ignore ce qui s'est passé et je ne suis pas en mesure de vous l'expliquer. Je cherchais une situation, j'ai répondu à une annonce et le choix de M. Dauphin s'est porté sur moi. C'est tout ce que je puis vous dire.

Annie s'arrêta de parler. Elle ne voulait pas avoir l'air de plaider sa propre cause.

— Si le choix de M. Dauphin s'est porté sur vous...

En disant ces mots, François Monceau s'avança vers une des hautes fenêtres et resta un long moment à regarder au-dehors. Il semblait avoir oublié la présence de la jeune fille. La pendule sonna quatre fois.

« Mufle ! C'est un mufle ! pensa Annie. Un coureur de jupons qui méprise les femmes. S'il s'imagine que je vais me laisser traiter de la sorte, il se trompe joliment. »

— Quoi qu'il en soit, Monsieur, fit-elle tout haut, si M. Dauphin s'est trop avancé, si son choix ne devait pas vous convenir, et bien que mon engagement soit ferme, je ne resterais pas contre votre gré. Puisqu'il semble qu'il y ait eu maldonne.

François Monceau se détourna. Son regard se posa longuement sur la jeune fille. Annie se sentit détaillée de la tête aux pieds. Elle ne broncha pas.

— Que faisiez-vous avant d'être engagée par M. Dauphin ? demanda le romancier.

— J'étais documentaliste dans une grande firme internationale de produits chimiques, les Laboratoires de la Source.

— Je vois, c'est une très grosse maison. Et vous préférez votre travail actuel à un poste dans une firme de cette importance? Pourquoi avez-vous quitté les Laboratoire de la Source?

Sous le regard qui ne la lâchait pas, Annie se sentit rougir et elle s'en voulut. Elle reprit, s'efforçant de dominer son trouble:

— Ma vocation n'est pas de rester documentaliste toute ma vie. J'ai l'intention de reprendre mes études et de faire mon droit. Avec M. Dauphin, nous avions conclu un arrangement. A la rentrée prochaine, je n'aurais plus travaillé qu'à mi-temps, ce qui m'aurait permis de suivre les cours à la Faculté.

François Monceau fit quelques pas dans la pièce sans répondre.

— Cet arrangement me convenait, reprit Annie. Toutefois, je répète que je ne veux pas m'imposer.

François Monceau eut un bref sourire, inattendu. Un instant, sous l'effet de ce sourire, son visage s'éclaira et apparut à Annie comme celui d'un homme doué d'un charme peu commun et qui sait en jouer.

— Ne nous emballons pas, dit-il négligemment. Je tiens toujours mes engagements, même lorsqu'ils ont été souscrits par d'autres. Vous resterez et vous m'en voyez ravi.

Et il sortit sans se retourner.

II

« LE célèbre écrivain n'est pas un homme au caractère facile », pensa Annie quand la porte se fut refermée.

Elle s'assit devant le bureau d'acajou et fit machinalement glisser entre ses doigts les cartes du fichier. La banale question « Pourquoi avez-vous quitté les Laboratoires de la Source ? » l'avait bouleversée. S'il était vrai qu'elle avait décidé de reprendre ses études, pouvait-elle parler d'Alain ? Alain, dont le souvenir était encore si douloureux.

Un grand garçon châtain clair, plein d'entrain, jeune interne promis, disait-on, à un brillant avenir. C'était à l'occasion du Congrès international de la Biologie qu'Annie l'avait rencontré. Elle assistait aux séances pour le compte des Laboratoires de la Source et elle avait tout de suite apprécié l'amabilité et la compétence d'Alain Cordier, l'assistant du professeur Blanchet.

Au dîner de clôture du Congrès, ils se trouvaient l'un à côté de l'autre et Annie apprit plus tard qu'Alain avait changé de place pour être assis auprès d'elle. Au moment de la quitter il lui déclara qu'il souhaitait la revoir. Quinze jours s'écoulèrent sans nouvelles. Annie pensait qu'il avait oublié quand, un beau matin, il se manifesta. Il s'excusa de n'avoir pu appeler plus tôt et l'invita pour le soir même.

Ce jour-là justement Annie portait sa robe préférée, dont la teinte violette faisait ressortir ses yeux et mettait en valeur son teint et ses cheveux.

Annie avait tout de suite lu dans les yeux d'Alain qu'il la trouvait jolie. Ils avaient dîné ensemble dans un petit restaurant grec de la rue de la Huchette, au cœur du quartier Latin.

Puis ils s'étaient revus de plus en plus souvent. Ils faisaient des escapades aux environs, s'ingéniant à dénicher des petites auberges pittoresques et ignorées de la foule, où l'on déjeune en tête à tête sous les arbres au bord de l'eau.

Ou bien ils restaient à Paris et s'y promenaient. Le soleil printanier égayait les vieilles rues de la cité, les marronniers étaient en fleur. Ensuite, ils allaient dans des ciné-clubs, parfois au théâtre, et finissaient la soirée au restaurant grec de la rue de la Huchette. La patronne, qui les connaissait maintenant, les recevait comme des habitués.

A chaque rencontre, ils se retrouvaient avec un plaisir accru. Insensiblement un tendre sentiment naissait entre eux.

Un soir qu'ils avaient rendez-vous au jardin du Luxembourg, Alain annonça à Annie qu'il organisait la semaine suivante une « surboum » avec des copains étudiants en médecine et étudiants des Beaux-Arts. Il précisa qu'il comptait sur elle pour être sa cavalière et que la fête durerait toute la nuit. Gentiment, mais fermement, Annie déclina l'invitation. Elle expliqua qu'elle n'allait jamais dans des surboums et qu'elle n'avait pas l'intention de commencer la semaine prochaine.

— Comment ! Une jeune fille moderne et indépendante comme toi ! s'était exclamé Alain. Mais nous sommes dans le dernier quart du XXe siècle. Et que me répondrais-tu, avait-il ajouté, mi-figue, mi-raisin, si je venais frapper à la porte de ta chambre, avec ou sans surboum ?

Annie était désagréablement surprise de cette demande. Elle ne voulait cependant pas paraître une prude un peu sotte et répondit, faisant appel au sens de l'humour d'Alain :

— Eh bien, je te répondrais, comme le fit une demoiselle d'honneur à Henri IV : « Le chemin de ma chambre passe par la chapelle. »

Alain ne s'était pas moqué. Devenu subitement grave, il avait pris Annie dans ses bras et serrée contre lui.

— Tu n'es pas comme les autres filles que je connais, avait-il dit. Depuis que je t'ai rencontrée, je pense sans cesse à toi. Annie, je t'aime. Veux-tu devenir ma femme ?

Annie sentit ses jambes se dérober sous elle. Elle ne put répondre, la gorge nouée par l'émotion. Les lèvres d'Alain se posèrent sur les siennes. Ils restèrent ainsi, tendrement enlacés, dans le jardin du Luxembourg désert à cette heure crépusculaire, avec le seul voisinage des statues des reines de France qui, du haut de leur socle, semblaient contempler les deux jeunes gens d'un œil attendri.

Annie soupira. Dans sa mémoire, revivait le souvenir du jour affreux où elle avait vu Alain pour la dernière fois. Après un déjeuner rapide, ils étaient allés s'asseoir au Luxembourg, devant les serres, leur coin favori. Sous le soleil d'automne encore chaud, le parc étalait sa splendeur rousse, les dahlias pourpres achevaient triomphalement leur dernière floraison.

Annie attendait qu'Alain la prît dans ses bras pour se blottir contre lui, mais il n'en fit rien. Elle posa la main sur celle du jeune homme et questionna :

— Que se passe-t-il, Alain ? Je me faisais une fête de notre rencontre et tu as à peine desserré les dents pendant le déjeuner. As-tu des soucis ?

Alain n'avait pas répondu tout de suite. Puis, d'un geste nerveux, il avait repoussé une mèche rebelle et commencé à parler, en regardant droit devant lui :

— Il nous faut être raisonnables pendant quelque temps, Annie. Le professeur Blanchet m'a confié des travaux de recherche biologique particulièrement importants. Un programme qu'il a mis sur pied, à la réussite duquel il attache beaucoup de prix. Pour moi aussi c'est primordial. Je suis obligé de faire un effort considérable. A l'avenir, nous nous verrons moins souvent, je le crains.

— Qu'appelles-tu moins souvent ?

— Eh bien...

— Eh bien ?

— Je te consacrerai tout le temps libre dont je pourrai disposer.

L'attitude contrainte et le ton embarrassé d'Alain étaient inhabituels.

— Alain, que se passe-t-il ? demanda Annie. Tu n'es plus le même. Nous nous sommes à peine vus ces dernières semaines.

Alain alluma une cigarette pour masquer sa nervosité.

— Oui, c'est vrai, admit-il, j'ai été très pris.

— Et jusqu'à quand cela va-t-il durer ?

— Je ne sais pas au juste.

L'air sombre de celui qu'elle considérait comme son fiancé inquiéta Annie. Elle le pressa de questions.

— Je t'ai tout dit, répondit Alain. Tu sais que mon patron, le professeur Blanchet, est considéré comme le futur Prix Nobel de biologie. Il me charge d'un travail du plus haut intérêt. Ce n'est pas moi, jeune interne, qui vais repousser une telle offre. Il y en a beaucoup qui envient ma chance, tu sais.

— Mais, Alain, et nos projets ? Penses-tu en avoir terminé pour la date de notre mariage ?

— Ecoute, Annie...

La voix d'Alain était moins ferme, il hésitait.

— Ecoute, j'ai bien réfléchi. Crois-moi, il serait tout à fait déraisonnable de vouloir nous marier maintenant comme nous avions décidé de le faire. Nous sommes jeunes, nous avons le temps devant nous. N'est-il pas mieux d'attendre que ma situation soit affermie ?

Annie était devenue très pâle.

— Je ne comprends pas, balbutia-t-elle. Que veux-tu dire ?

Elle eut la sensation de vivre un mauvais rêve quand elle entendit Alain répondre :

— Je ne suis pas sûr de pouvoir t'épouser.

— Mais pourquoi ?

— Je te l'ai dit.

Annie était au bord des larmes. Elle fit un violent effort pour maîtriser sa peine.

— Non, Alain, ce prétexte est indigne de nous. J'ai le droit de connaître la vérité, la vraie raison de ta décision.

Alain avait l'air affreusement gêné. Il ne répondit pas.

— Ce n'est pas possible, murmura Annie. Dois-je croire les bruits malintentionnés qui courent dans les milieux médicaux ? Que le professeur Blanchet est très désireux de caser sa fille peu gâtée par la nature et qu'il a jeté son dévolu sur toi ? Je me refusais d'y croire, cela me semblait monstrueux ! Serait-ce donc la vraie raison de ta décision ?

Alain restait silencieux, laissant sa cigarette se consumer entre ses doigts.

— Quelle chance, en effet, pour un jeune interne de devenir le gendre d'un Prix Nobel ! Jamais je ne pourrai rien t'offrir de tel, poursuivit Annie tristement. Je suis d'un milieu modeste, je n'ai ni fortune ni relations. Les seules choses que j'avais à t'offrir étaient mon amour sincère et mes vingt ans.

— La vie n'est pas simple, soupira Alain. Ne me juge pas, ne me condamne pas. Je ne voudrais pas te perdre...

Annie se redressa avec fierté. D'un geste impérieux, elle l'interrompit.

— Non, Alain. Je n'accepterai jamais de rester dans ta vie si tu en épouses une autre. J'avais fait le rêve de devenir ta femme. Puisque tu as choisi la voie de l'ambition, il faut la suivre jusqu'au bout.

La jeune fille se leva. Elle était tremblante et sentait monter ses larmes. Elle dut faire un effort désespéré pour les empêcher de couler.

Alain s'était levé aussi. Un instant, ils restèrent face à face. Annie voyait le visage d'Alain près du sien. Ce visage qui avait été celui de son premier amour. Elle se détourna.

— Je te rends ta parole, fit-elle avec gravité. Mieux vaut nous séparer, nous n'avons plus rien à nous dire. Adieu, Alain.

En voyant s'éloigner la jeune fille, Alain eut un élan vers elle. Il eut envie de lui courir après, de la rattraper. Il suivit des yeux la gracieuse silhouette qui, bientôt, disparut derrière un bosquet.

Alain se laissa retomber sur sa chaise, accablé. Il souffrait de perdre Annie, sans avoir pourtant la force de repousser la chance qui s'offrait, chance que les paroles du professeur Blanchet lui avaient nettement fait entrevoir le jour où, à brûle-pourpoint, il lui avait dit :

— A propos, Cordier, vous avez fait une excellente impression sur ces dames au dîner, jeudi dernier. Ma fille vous trouve très sympathique, ma femme aussi. Elle m'a chargé de vous transmettre une invitation pour le prochain week-end dans notre maison de chasse de Sologne. Je serais ravi que vous acceptiez. A défaut d'abattre du gibier nous pourrions parler de nos travaux. A moins, bien sûr, que vous n'ayez quelque amourette qui vous retienne à Paris, auquel cas je n'insisterais pas.

Et Alain avait accepté. Un week-end en avait suivi un autre. De plus en plus fréquemment, Alain s'était retrouvé l'hôte des Blanchet, inventant chaque fois de mauvais prétextes pour expliquer son absence à Annie, à laquelle pourtant il avait promis le mariage. Annie, si fine, si jolie, si fière aussi.

Alain se prit la tête dans les mains et demeura prostré si longtemps qu'un enfant qui jouait non loin finit par le remarquer et, intrigué, se planta devant lui :

— Qu'est-ce qu'il a, le monsieur ? demanda l'enfant à sa mère. Pourquoi il se tient la tête et il bouge plus ? Il a du chagrin ?

En arrivant à son bureau, encore bouleversée par la scène pénible qu'elle venait de vivre, Annie avait trouvé une note de service de son directeur, signée le matin même. Cette note lui enjoignait de prendre contact avec le service du professeur Blanchet.

Il s'agissait de préparer une documentation sur le

nouveau médicament mis au point par le professeur et son équipe, médicament qui révolutionnait le traitement classique de la leucémie par les excellents résultats déjà obtenus.

Annie fut atterrée. Une pareille tâche impliquait pour elle la nécessité de contacts fréquents avec l'équipe du professeur et surtout avec Alain. Cette situation deviendrait vite intolérable. La jeune fille résolut de demander au directeur de la décharger de ce travail et de désigner quelqu'un d'autre.

Le directeur était un petit homme sec, au tempérament inquiet, redoutant toujours que son autorité ne soit pas assez respectée. Il ne voulut rien entendre. Annie ne put donner la vraie raison de sa demande, mais elle eut beau promettre d'aider la collègue qui serait chargée de cette tâche, le directeur s'entêta et refusa de prendre d'autres dispositions.

Il éconduisit sèchement Annie.

De retour dans son bureau, elle avait rédigé sa lettre de démission.

Comme un oiseau blessé qui recherche la chaleur du nid, la jeune fille s'était instinctivement réfugiée auprès de Mamita, sa confidente, celle qui remplaçait sa famille disparue.

Annie la connaissait depuis toujours. Mamita était une cousine de sa grand-mère et se prénommait Rosita. Le bébé qu'était alors Annie avait du mal à différencier les deux femmes qui la dorlotaient et la gâtaient. Lorsque Mamie était partie pour un très long voyage d'où l'on ne revient pas, l'enfant, trop jeune pour comprendre, avait reporté toute son affection sur Rosita. A partir de ce jour, elle avait réuni les deux noms en un seul et Rosita était devenue Mamita.

La jeune fille savait trouver une tendresse jamais démentie auprès de la vieille dame, sa seule famille depuis qu'elle était restée très tôt orpheline. Et là, dans le petit appartement du Marais où vivait Mamita, entourée des souvenirs d'un passé révolu mais toujours présent, elle s'était laissée aller à ouvrir son cœur.

Mamita avait écouté sans mot dire le récit qu'Annie relatait tout d'une traite. Elle sentait combien la jeune fille avait besoin de se confier à un être cher. Son visage pâli, ses grands yeux bleux encore agrandis par le chagrin et brillants de fièvre, ses boucles en désordre, tout indiquait la profondeur de sa détresse.

Très émue, la vieille dame embrassa Annie et caressa son opulente chevelure.

— Calme-toi, ma chérie, dit-elle. Je comprends ta peine, mais ce garçon était indigne de toi. Tu as bien fait de venir, tu sais que tu peux toujours compter sur moi. Tu es ma fille selon mon cœur.

Alors, Annie ne contint plus son chagrin. Elle éclata en sanglots trop longtemps retenus. Elle hoquetait.

— Mamita! Oh, Mamita! parvint-elle à articuler à travers ses larmes, si tu savais combien je suis malheureuse!

III

DEPUIS le retour de François Monceau, l'hôtel particulier de la rue de Varenne avait brusquement émergé de sa torpeur. Le téléphone sonnait sans cesse. Les visiteurs se pressaient, amis, journalistes, admirateurs, quémandeurs d'autographes ou d'argent, parasites de tous poils. Sans parler des belles amies du romancier. Mais M. Dauphin veillait. Il avait établi un solide barrage et protégeait farouchement François Monceau contre les importuns.

Annie avait vite remarqué que le romancier, sous ses dehors mondains, était un bûcheur et passait chaque jour de longues heures à sa table de travail. Déjà, il préparait un nouveau livre. La jeune fille l'avait appris par M. Dauphin, avec lequel elle s'entendait très bien. Elle avait gagné la confiance de ce quinquagénaire circonspect, qui oubliait peu à peu ses réticences premières vis-à-vis d'elle.

Pendant plusieurs semaines, Annie vit rarement François Monceau. Il semblait l'avoir oubliée. Enfin, un jour, il la fit demander. D'un ton courtois mais distant, il lui expliqua ce qu'il attendait d'elle. Le livre qu'il préparait était un ouvrage historique sur le couple tragique formé par l'empereur Maximilien et l'impératrice Charlotte, souverains du Mexique au XIXe siècle. Tous les matins, Annie devait aller à la Bibliothèque nationale faire des recherches se rapportant à l'histoire du couple impérial et à son époque. En fin d'après-midi, elle devait transmettre son butin au romancier.

Annie se mit au travail. Ce couple impérial, mis sur le trône du Mexique par Napoléon III puis abandonné par lui, les complots, la révolution, Maximilien fusillé, sa femme Charlotte, enceinte, devenue folle de douleur, toute cette dramatique épopée émouvait profondément la jeune fille. Elle se prit d'un intérêt passionné pour ses recherches.

Ce jour-là, elle avait réuni des renseignements particulièrement intéressants. Elle les nota sur fiches et, à l'heure habituelle, alla frapper à la porte du bureau de François Monceau.

La voix grave qu'Annie connaissait bien maintenant répondit : « Entrez ».

Le bureau, élégamment meublé en style anglais, donnait, comme la bibliothèque, sur le parc du couvent voisin. Bien que de grandes dimensions, la pièce paraissait petite tant elle était remplie de livres et de documents. Il y régnait un désordre apparent où seul le romancier parvenait à se retrouver.

Nul autre que lui n'avait le droit de toucher à ses papiers, même Charles, le fidèle valet de chambre.

A l'entrée d'Annie, François Monceau releva la tête et la regarda s'approcher. Le visage était impénétrable, mais le regard insistant posé sur elle causait à la jeune fille une émotion qu'elle ne pouvait s'empêcher d'éprouver. Elle se ressaisit.

« Il doit souvent regarder les femmes de cette façon,

pensa-t-elle, sa réputation d'homme à femmes n'est plus à faire.»

D'un geste de sa main aux longs doigts nerveux, François Monceau lui indiqua le fauteuil en face de lui. Annie prit place et fit un exposé sur son travail de la journée. Entraînée par son sujet, elle se laissa aller à commenter ses trouvailles. Tout à coup, elle s'interrompit. Elle se souvenait que, l'un des premiers jours, alors qu'elle émettait une opinion personnelle, François Monceau avait sèchement laissé tomber:

— Pas de commentaires, mademoiselle. Des faits.

Ce soir-là, François Monceau devait être de meilleure humeur, car il se contenta de dire:

— Très intéressant. Faites voir cette fiche.

La jeune fille la lui tendit par-dessus la table. Elle crut qu'il l'avait prise et la lâcha, mais le romancier la laissa échapper. Annie fit un geste pour la rattraper, François Monceau fit de même. Leurs mains se rencontrèrent. Un moment, elles restèrent unies. Annie sentait ses doigts emprisonnés par ceux de François Monceau. Un contact très doux, très caressant... Un étrange trouble l'envahissait. Vivement, elle retira la main.

«Qu'est ce qui m'arrive? se demanda-t-elle. Je ne vais tout de même pas moi aussi tomber sous le charme!»

François Monceau s'absorbait dans la lecture de la fiche. Brusquement, il releva la tête.

— Il faut que je vous informe des dispositions que j'ai prises au sujet de mon prochain voyage au Mexique, lança-t-il. Je partirai avec M. Dauphin.

Sa voix se fit âpre, presque brutale.

— Vous, vous restez à Paris. Vous expédierez les affaires courantes et vous vous tiendrez en liaison avec nous. C'est mieux ainsi.

Annie ne répondit pas, elle était déçue. Elle aurait

tant souhaité quitter la grisaille de l'hiver parisien, trouver, là-bas, à l'autre bout du monde, le soleil, les fleurs, et, grâce au dépaysement, l'oubli d'Alain et de ses peines de cœur.

François Monceau tendit à Annie la fiche qu'il venait de consulter.

— Continuez, fit-il.

Annie raffermit sa voix. Elle reprenait son exposé quand le téléphone intérieur sonna. François Monceau décrocha. Il écouta.

— Dites-lui que je l'attends, répondit-il.

Il se tourna vers Annie.

— Je crains que nous ne puissions plus travailler tranquillement ce soir. J'ai une visite.

La porte s'ouvrit. Introduite par Charles, le valet de chambre, apparut une jeune femme qu'Annie ne connaissait pas. La nouvelle arrivante s'arrêta un instant sur le seuil, le temps de faire admirer le long fourreau de soie rouge qui la moulait étroitement et l'harmonie qu'il composait avec ses cheveux auburn.

Ondulante et féline, elle s'avança vers François Monceau.

Elle sembla ne pas voir Annie et ne la salua pas.

— François, mille pardons si je vous dérange, dit-elle d'une voix de gorge. Je vois que vous travaillez avec votre dactylo. Mais je vous rappelle que nous allons au théâtre ce soir. Vous ne l'avez pas oublié, j'espère ?

François Monceau s'était levé. Il s'avança vers la jeune femme, s'inclina et baisa la main qu'elle lui tendait.

— Comment aurais-je pu l'oublier, ma chère Marisa ? Prenez place, je vous en prie. Nous étions en train de travailler, Mlle Robert et moi. Nous en aurons bientôt terminé.

Marisa jeta à Annie un regard dépourvu d'aménité.

— Je vous écoute, mademoiselle Robert, dit François Monceau, en se rasseyant.

Annie reprit la parole. Mais Marisa ne pouvait visiblement supporter de ne pas être le centre de l'intérêt. Elle l'interrompit.

— Ah ! j'y pense, François, s'exclama-t-elle soudain. Peut-être pourriez-vous un tout prochain jour me prêter votre dactylo ? J'ai un travail à faire exécuter, il s'agit de l'inventaire de ma propriété de Cannes. C'est urgent, mais pas difficile, c'est de la copie.

Le mécontentement gagnait Annie. De quel droit cette Marisa se permettait-elle de la traiter de la sorte ? Non seulement elle feignait de l'ignorer, mais elle parlait d'elle, en sa présence, comme s'il s'agissait d'un meuble ! François Monceau avait dû remarquer les façons désobligeante de Marisa. Et pourtant il ne bronchait pas. Il écoutait, sans mot dire.

— Que pensez-vous de ma demande, François ? demanda Marisa, le sourire enjôleur. Soyez gentil, rendez-moi ce service. J'ai tellement horreur de m'occuper des questions matérielles.

Annie sentait la moutarde lui monter au nez. Elle en voulait autant à François Monceau qu'à Marisa.

Le romancier se tourna vers Annie. Un sourire ambigu relevait les coins de ses lèvres sensuelles.

— C'est à Mlle Robert de décider.

— Je regrette, madame, mais je ne suis pas dactylo, dit Annie avec froideur. De plus, tout mon temps est pris par mon travail actuel. Il est donc tout à fait exclu que je me charge de nouvelles tâches.

Il y eut un silence.

— Puis-je remettre à demain les fiches qui restent ? demanda Annie.

— Oui, nous verrons cela demain. Bonsoir, mademoiselle.

Le ton était indifférent. Mais quand, en sortant de la pièce, Annie se retourna pour fermer la porte derrière elle, elle surprit au vol le coup d'œil narquois que lui lançait François Monceau.

IV

CET après-midi-là, François Monceau donnait une conférence au théâtre Marigny sur la littérature française au XIXe siècle. Bien qu'il fût encore tôt, la foule se pressait déjà dans le hall. Le service d'ordre avait fort à faire pour canaliser le flot des voitures qui congestionnaient les abords du théâtre.

A l'entrée des artistes, un sévère filtrage était en place. Annie montra patte blanche et un huissier la prit en charge. Il l'escorta, par de longs couloirs déserts, jusqu'au plateau encore vide à cette heure et chichement éclairé par les seules lampes de service. L'odeur si caractéristique des coulisses, faite de fond de teint, de poudre et d'un peu de poussière, flottait dans l'air.

On avait réservé la loge de vedette, située sur le plateau même, à François Monceau. Il n'était pas encore arrivé. Annie eut droit à un petit bureau de régisseur, situé dans les coulisses.

Retenu à l'ambassade du Mexique par des démarches en vue du voyage, M. Dauphin avait confié à Annie la mission d'apporter le texte de la conférence, en lui faisant mille recommandations. Ce texte était soigneusement rangé dans un dossier fermé par deux liens noués.

Annie le sortit de sa serviette et le posa sur la table. A ce moment, un régisseur surgit :

— Mademoiselle ! appela-t-il. Pourriez-vous répondre au téléphone ? On demande François Monceau.

— Bien sûr, dit Annie.

Elle suivit le régisseur.

C'est en revenant qu'elle surprit Marisa arrêtée devant la porte de son petit bureau. « Que fait-elle là ? » se demanda Annie.

Marisa était vêtue d'un somptueux manteau de vison sauvage. Un savant maquillage rehaussait ses traits réguliers, mais l'éclat de ses yeux verts était dur. Elle dit bonjour du bout de ses lèvres carminées. Annie lui rendit son bonjour et rentra dans le petit bureau.

Il était temps maintenant de voir si François Monceau était arrivé. Annie prit le dossier posé sur la table. Les liens qui le fermaient étaient défaits. Annie en fut surprise. Elle croyait être sûre de les avoir noués. Elle s'apprêtait à refaire le nœud quand quelque chose d'anormal attira son attention. Les pages étaient en désordre. On y avait touché, Fébrilement, la jeune fille les vérifia une à une. Il en manquait trois. Les parties les plus importantes de la conférence, reprenant des textes originaux inédits que François Monceau voulait communiquer au public en exclusivité. Ces pages, c'était le clou de la conférence.

Le feu aux joues, Annie vérifia une nouvelle fois. Pas de doute, elles manquaient. Quelle catastrophe ! La jeune fille était pourtant certaine d'avoir mis dans le dossier le texte complet. Et voilà que par sa faute, la conférence allait être ratée. Par sa faute ? En un éclair, Annie revit Marisa, debout devant la porte, la toisant de son œil métallique. Si c'était elle la coupable ? Avec la témérité du désespoir, Annie sortit à sa recherche, le dossier à la main. Elle irait la chercher partout où elle se trouverait, même au diable, même en enfer.

Elle n'eut pas à aller si loin.

Pendant que François Monceau, arrivé entre-temps discutait dans sa loge avec le président de la conférence, Marisa l'attendait près d'un portant soutenant le décor.

Annie se dirigea droit sur elle. Elle l'aborda comme on se jette à l'eau.

— Madame, dit-elle en montrant le dossier, il manque des pages à cette conférence. Je vous demande de me les rendre, je dois remettre le plus vite possible le texte complet à François Monceau.

Elle avait insisté sur le mot «complet».

— Que me voulez-vous ? laissa tomber Marisa, hautaine.

— Vous le savez bien.

— J'ignore de quoi vous parlez.

— En êtes-vous sûre?

— Laissez-moi tranquille, dit Marisa. Je me plaindrai à François Monceau de votre insolence.

Les deux femmes étaient face à face. Elles se défiaient du regard, telles deux duellistes qui se jaugent avant de se combattre.

— Madame, dit Annie, d'une voix basse et contenue, je vous jure que si vous ne me rendez pas sur-le-champ les pages que vous avez prises, je vais de ce pas prévenir François Monceau. Et lui expliquer pourquoi son texte est incomplet.

— Moi, j'ai pris des pages? Vous êtes folle!

— Vous les avez prises. Me les rendrez-vous oui ou non? Le temps presse.

A ce moment, une sonnerie grêle et continue se fit

entendre dans la salle et dans les coulisses annonçant que la conférence allait commencer. Annie avait les nerfs tendus à craquer. Elle vit que Marisa marquait une hésitation.

— Les pages que vous avez prises par erreur, reprit Annie, faisant un effort désespéré pour se contraindre au calme.

Marisa haussa les épaules et ouvrit négligemment son sac à main.

— Je ne les ai pas prises par erreur, fit-elle en sortant les pages froissées. Je voulais les relire avant la conférence, François m'avait beaucoup parlé de ces documents. Mais, tenez, les voilà. Inutile d'en faire tout un drame.

Annie prit les pages, les défroissa et s'assura qu'elles étaient au complet. Elle les remit dans le dossier.

A ce moment, François Monceau sortit de la loge de scène qui lui avait été réservée. Il vit les deux femmes face à face et dut sentir qu'il se passait quelque chose. Son regard alla de l'une à l'autre.

— Avez-vous mon texte ? demanda-t-il à Annie.

— Voilà, dit-elle d'une voix encore tremblante.

Elle lui tendit le dossier. Il le prit et regarda Annie, d'un air surpris, comme s'il la voyait pour la première fois. La violente émotion qu'elle venait d'éprouver avait avivé la carnation du teint de la jeune fille, ses yeux d'un bleu de ciel après l'orage brillaient d'un éclat inaccoutumé, ses cheveux, libérés ce jour-là du catogan, semblaient avoir capté toute la lumière environnante et formaient, autour de son visage, une auréole de blondeur.

Pendant quelques instants, François Monceau resta immobile, cloué sur place, comme s'il contemplait quelque chose que les autres ne pouvaient voir. Avec effort, il se détourna :

— Il est temps d'y aller, dit-il.

Marisa, le visage crispé, tripotait rageusement ses gants.

*
**

Il y avait tant de monde qu'on avait dû rajouter des chaises dans la salle. Postée dans la coulisse, Annie regardait ce qui se passait sur la scène. Debout près d'un haut pupitre, François Monceau parlait. Sa silhouette svelte se détachait, éclairée par les feux de la rampe. Tout à l'heure, à son entrée en scène, un tonnerre d'applaudissements l'avait salué. Maintenant chacun écoutait, captivé, la voix grave aux intonations chaudes.

La conférence fut un succès. Le public, sous le charme, ovationna François Monceau. Il dut revenir saluer plusieurs fois. On le réclamait encore et encore. Il fallut que le directeur du théâtre fît rallumer les lumières de la salle et baisser le rideau rouge pour que le public se décidât enfin à partir.

Le cocktail qui suivit la conférence fut aussi une réussite.

Le foyer du théâtre était transformé en salle de réception. Sur les longues tables recouvertes de nappes immaculées, on avait dressé le buffet. Le choix était infini, entre les canapés de caviar, de foie gras, de galantine truffée. Les gâteaux et les tartelettes s'alignaient sur des plateaux. Des surtouts en argent massifs offraient chocolats, pâtes de fruits et toutes sortes de friandises. Une escouade de bouteilles de champagne avait été mise à rafraichir ; le whisky, les jus de fruits, sans oublier les glaces, attendaient les amateurs.

Les maîtres d'hôtel en habit se tenaient en faction derrière les tables. Les serveurs, en veste blanche et gants blancs, circulaient parmi la foule des invités, présentant des petits fours et des rafraîchissements.

Annie s'approcha du buffet et se fit servir un sorbet à la framboise. Elle observait le tumulte auprès de François Monceau. Les femmes les plus en vue de Paris se bousculaient pour le féliciter. Les flashes des photographes crépitaient. Un reporter de la radio tendait son micro, essayant de saisir les déclarations du romancier au milieu du brouhaha.

Des bribes de l'interview parvenaient aux oreilles d'Annie. L'écrivain parlait de son prochain voyage au Mexique et de son départ imminent. Tout près de lui se tenait Marisa, qui ne le quittait pas d'une semelle. Annie la vit prendre la main du romancier. Celui-ci tourna son beau visage viril vers la jeune femme et lui sourit d'un air complice.

Il sembla à Annie que son sorbet avait perdu toute sa saveur. Elle posa sur une des tables la glace à demi dégustée. Tout à coup, elle se sentait lasse. Peut-être à cause de l'émotion causée par la disparition des papiers et de l'algarade qui s'était ensuivie. Là-bas, Marisa continuait à distribuer des amabilités alentour, comme si c'était elle la reine de la fête.

« Que m'importe ce que fait ou ne fait pas Marisa, pourvu qu'elle ne me cause pas de tort ? songea Annie. Et que m'importe ce que fait ou ne fait pas François Monceau ? Rien, absolument rien. »

L'instant d'après, elle s'interrogeait à nouveau.

« Mais alors, se dit-elle agacée, pourquoi ai-je ce sentiment de vague tristesse ? Et pourquoi ne puis-je m'empêcher d'avoir un pincement au cœur chaque fois que François Monceau se tourne souriant vers Marisa ? »

— Voulez-vous prendre une coupe de champagne mademoiselle ?

C'était un des invités qui s'adressait à Annie. Il avait remarqué cette blonde jeune fille, seule parmi la foule, apparemment plongée dans des pensées qui projetaient une ombre sur son joli visage.

L'invité lui tendait une coupe de champagne. Annie la prit et but avec plaisir. Le champagne était excellent, juste frappé à point. Une sensation de bien-être envahit la jeune fille. Pourquoi se laisser aller à la mélancolie? C'était idiot. Il fallait réagir. Une coupe ou deux de chapagne la remettraient de belle humeur.

Comme pour chasser loin d'elle des pensées importunes, Annie secoua la tête et ce geste mit en mouvement les ondes dorées de sa chevelure.

Elle aperçut François Monceau qui semblait maintenant chercher quelqu'un des yeux. Un instant, à travers la foule, leurs regards se croisèrent. Annie se détourna aussitôt. Elle prit une nouvelle coupe de champagne et trempa les lèvres dans la mousse pétillante.

V

Il y avait eu les préparatifs du voyage, les passeports, les visas, les réservations, les dossiers. La dernière semaine avait été éreintante. Annie, emportée dans le tourbillon des multiples tâches à accomplir, n'avait pas eu une seconde pour souffler. M. Dauphin, très affairé, ne trouvait plus le temps de lui parler si ce n'est pour lui donner des instructions. François Monceau, retranché dans son bureau comme dans une tour d'ivoire, était invisible.

Enfin, le jour du départ arriva. Annie sortit de la bibliothèque et se rendit dans le vestibule pour dire au revoir à François Monceau et à M. Dauphin; les bagages attendaient déjà sur le marbre du dallage. Une porte s'ouvrit et le romancier parut. Il portait un costume sport en cheviotte et un confortable pardessus en poil de chameau.

Annie ne put s'empêcher de remarquer l'élégance de François Monceau. Il s'habillait sans excentricité, ni excessif raffinement, et semblait n'attacher aucune importance à ce qu'il portait, mais il séduisait par son aisance naturelle.

François Monceau salua courtoisement Annie. Ils étaient seuls dans le vestibule.

— J'espère que tout se passera bien pendant notre absence, dit-il. M. Dauphin vous a expliqué ce que vous aviez à faire. Il compte sur vous, ne le décevez pas. Mais je vous fais confiance, vous êtes une femme de tête.

Il eut un sourire qui découvrit ses dents éclatantes.

— D'ailleurs, toutes les femmes sont des femmes de tête. Ce sont elles le sexe fort, ainsi que chacun le sait. Belles comme le jour et perfides comme l'onde, disait le poète.

Il souriait toujours, mais d'un sourire teinté d'ironie méchante qui déplut à Annie.

«Pourquoi dit-il cela? s'étonna-t-elle. Que cherche-t-il? On dirait qu'il a l'intention de me blesser.»

— Je ferai de mon mieux, monsieur, fit-elle tout haut.

— Eh bien, au revoir.

Il prit la main que lui tendait Annie et la serra dans la sienne. De nouveau, la jeune fille sentit le contact de cette main chaude et caressante. De nouveau, elle subit la tentation de s'abandonner à cette douce caresse.

Elle surprit la lueur qui brillait dans les yeux de François Monceau. Une lueur froide. La conviction cynique de quelqu'un sûr de son fait, qui s'amuse à se prouver que l'autre ne résiste pas, n'a pas même le désir de résister.

Une brusque bouffée de colère envahit Annie. D'un mouvement vif, elle retira sa main.

«Il essaie de se jouer de moi comme le fauve joue avec sa proie, pensa-t-elle. Comme il joue sans doute avec toutes les femmes.»

Elle était autant blessée que furieuse. Il y avait quelque chose de méprisant dans le sourire et l'attitude de François Monceau, quelque chose contre quoi sa fierté se rebellait et qu'elle se refusait à accepter.

« Dès son retour du Mexique, je donnerai ma démission », décida-t-elle en elle-même.

M. Dauphin arrivait dans le vestibule, les passeports à la main.

— Nous pouvons partir, annonça-t-il.

Il se tourna vers Annie.

— Au revoir, chère mademoiselle. Si vous avez la moindre difficulté, n'hésitez pas à me téléphoner à Mexico. Et bon courage.

Il serra amicalement la main d'Annie.

François Monceau la salua sans mot dire.

Les deux hommes sortirent. Annie se retrouva seule dans le vestibule désert. Elle regagna la bibliothèque, très agitée.

« Quel être étrange! pensa-t-elle. Est-il aussi cruel qu'il le paraît ? Parfois, on a le sentiment qu'il ne croit à rien, qu'il déteste le genre humain et surtout les femmes. Lui qui est un don Juan! Mais comment peut-il alors écrire d'aussi émouvantes histoires d'amour ? »

Incapable de se concentrer tant elle était agitée, la jeune fille alla se poster devant la fenêtre.

Charles qui, bien que valet de chambre, se transformait à l'occasion en chauffeur, conduisit François Monceau et M. Dauphin à l'aéroport de Roissy. Il en revint triste comme une âme en peine. Il aurait souhaité faire partie du voyage et se désolait de rester à Paris. Pour se réconforter, il fit du café bien fort et vint en offrir à Annie. La jeune fille se sentant également déprimée, elle accepta avec plaisir le breuvage réconfortant.

Heureux d'avoir un auditoire, Charles raconta à Annie les débuts difficiles du romancier, pour lequel il avait la plus grande admiration. Il avait fait sa connaissance bien avant d'être à son service. A l'époque, François Monceau était un tout jeune débutant et Charles le valet de chambre de son éditeur.

François Monceau avait eu des années de vache maigre. Personne ne s'intéressait à l'auteur inconnu qu'il était alors. Ses livres ne se vendaient pas. Pour imposer son style et le ton nouveau de ses œuvres, il s'était farouchement battu. D'autant plus farouchement qu'à ce moment-là il était éperdument amoureux d'une jeune femme, Sabine.

Charles soupira à cette évocation.

Annie ne put s'empêcher de poser la question qui lui brûlait les lèvres.

— Et qu'est-elle devenue ?

— Ah ! les femmes !

Charles leva les bras au ciel, comme pour le prendre à témoin de son exclamation désenchantée.

— Elle l'a quitté, oui, quitté, du jour au lendemain. Et savez-vous pour qui ? Pour un mandataire des Halles, pavillon des viandes ! Mais riche à ne savoir que faire de son argent. Il faut vous dire qu'alors François Monceau vivait dans une demi-misère. Il était trop fier pour tenter de retenir la femme qu'il aimait et qui le quittait par intérêt, mais il en a bavé ! Il a mis des années à s'en remettre, si toutefois il s'en est jamais remis.

— Et comment a-t-il réussi ?

— Le vent a fini par tourner. Un critique renommé a découvert que François Monceau avait du talent, il lui a fait attribuer un prix littéraire. Du jour au lendemain, il est devenu un romancier célèbre recherché par tout le monde. L'argent est venu avec le succès. Mais François Monceau n'a plus jamais été le même avec les femmes.

Des aventures, pour sûr. Mais je crois bien que son cœur est mort le jour où Sabine a rompu.

— Etait-elle belle ? demanda Annie.

— Ah ! pour ça, oui, elle était belle la mâtine. Grande, élancée, blonde. Comme vous. Tout à fait votre genre. C'est vrai, vous avez des faux airs de Sabine. Je l'ai remarqué la première fois que je vous ai vue.

Emporté par ses souvenirs, Charles en vint à parler de l'installation dans l'hôtel particulier de la rue de Varenne. Mais Annie n'écoutait plus.

Ainsi, le romancier à gros tirages, l'homme hautain et trop sûr de lui avait été un jeune homme pauvre et inconnu. Lui, le don Juan dont les succès féminins ne se comptaient plus, avait connu la douleur d'être abandonné par la femme qu'il adorait. Il devenait tout à coup plus proche, plus humain. Mais le portrait que Charles venait de tracer était si différent de l'image qu'Annie s'était forgée de François Monceau qu'elle restait hésitante.

Charles n'avait pas interrompu son bavardage.

— Je vous le dis comme je le vois, continuait-il, je crains bien que celle-là n'arrive à ses fins. Mais ce serait vraiment dommage qu'il l'épouse.

Il baissa la voix.

— C'est une mauvaise femme.

— Mais de qui parlez-vous ? demanda Annie.

— Eh bien, de Marisa ! C'est une maligne, croyez-moi. Je la vois manœuvrer. S'il ne se méfie pas, il est fait. Mais je bavarde, je bavarde, je perds mon temps et je vous fais perdre le vôtre. Encore une tasse de café ?

— Non, merci.

Annie ne put travailler beaucoup. Elle était tenaillée par des sentiments contradictoires. Tantôt, elle trouvait des excuses à la conduite de François Monceau envers elle, tantôt elle était franchement hostile à toute indulgence. Et sourtout, elle s'irritait de ressentir tant d'agacement chaque fois qu'il était question de Marisa.

Quand six heures sonnèrent, Annie ferma ses dossiers en hâte et sortit. L'air froid lui fit du bien. Elle marcha au hasard des rues. La brume du soir était trouée, de place en place, de taches lumineuses projetées par les vitrines brillamment éclairées. L'une d'elles attira l'attention de la jeune fille. C'était une librairie. Une grande photo de François Monceau occupait le centre de la devanture consacrée à plusieurs de ses ouvrages. Annie s'arrêta devant la photo. La bouche du romancier souriait, mais les yeux restaient graves, obscurcis par les noirs rayons de la mélancolie.

La lutte féroce que François Monceau avait dû livrer pour réussir, la cruelle désillusion qu'il avait subie n'avaient-elles pas modifié son caractère au point que plus rien ne subsistait du jeune homme idéaliste qui croyait à l'amour ?

Quel était le vrai François Monceau ?

VI

CE soir-là, Annie s'était longtemps tournée et retournée dans son lit à la recherche d'un sommeil qui la fuyait.

« Suis-je donc encore si attachée à Alain pour que le seul fait de l'apercevoir par hasard dans la rue me bouleverse à ce point ? » ne cessait-elle de se demander.

En allant faire quelques achats au Bon Marché, Annie avait failli se trouver nez à nez, rue de Sèvres, avec Alain, qui se dirigeait vers l'hôpital Laënnec. Pour éviter une rencontre qui n'aurait pu que lui être pénible, Annie avait rebroussé chemin à vive allure.

Elle croyait avoir chassé cet incident de sa mémoire et voilà que maintenant elle se sentait horriblement nerveuse.

Le sommeil la saisit sans qu'elle s'en rendit compte. Elle se voyait dans un jardin merveilleux et inconnu. Des fleurs aux vives couleurs s'épanouissaient alentour, des oiseaux lançaient leurs trilles vers l'azur du ciel. Annie sentait la caresse du soleil sur sa peau. Ses pieds nus foulaient un moelleux tapis de mousse.

La jeune fille savait qu'elle attendait quelqu'un. Un bruit de branches froissées la fit tressaillir. Elle distingua une silhouette masculine sous les frondaisons. Alain! Il était là. Il se dirigeait vers elle. Le cœur d'Annie battait à grands coups dans sa poitrine. Alain s'approchait. Il allait la prendre dans ses bras. Elle jeta un grand cri. Ces cheveux bruns, ces yeux ardents, ce visage viril. Ce n'était pas Alain. C'était François Monceau.

Doucement, très doucement, il prit le visage d'Annie dans ses mains et le caressa. Ses doigts glissèrent le long du cou et se posèrent sur les épaules de la jeune fille. Elle se sentait défaillir. «François», murmura-t-elle. Leurs lèvres se rencontrèrent. Ce fut un long baiser.

Pourquoi fallait-il qu'à ce moment retentisse la sonnerie annonçant que la conférence allait commencer? L'angoisse saisit Annie.

«Et les pages qui manquent!» pensa-t-elle. Qu'allait dire François quand il l'apprendrait? Annie aurait voulu faire cesser cette sonnerie, ne plus l'entendre, mais le bruit se rapprochait, devenait de plus en plus distinct, de plus en plus strident...

Elle faillit renverser la lampe de chevet en cherchant l'interrupteur dans l'obscurité. Elle alluma et resta quelques instants assise dans son lit, tout ahurie. C'était un rêve.

Elle poussa un long soupir de regret.

Sur la table de nuit, le téléphone sonnait inlassablement. Annie décrocha. Une voix féminine à l'accent étranger disait:

— Allo? le 224.96.04.? Restez en ligne. On vous parle.

Une attente. Un grésillement sur la ligne. Puis une nouvelle voix. Masculine. Une voix grave aux intonations chaudes.

— Allo? Allo? Annie Robert? Vous m'entendez?

Annie était incapable de répondre.
— Allo ? Allo ?
Au bout du fil, la voix avait une nuance d'impatience.
— Vous m'entendez ?
Annie ne savait plus où finissait son rêve et où commençait la réalité.
— Oui, je vous entends, murmura-t-elle.
— Ici, François Monceau. Excusez-moi de vous déranger à cette heure indue, mais c'est très urgent. Quelques jours après notre arrivée M. Dauphin a eu un accident cardiaque, il est hospitalisé. Tout mon travail est arrêté. Pouvez-vous venir me rejoindre à Mexico ?
Incrédule, Annie écoutait. A travers son émotion, des bribes de phrases lui parvenaient.
— Adressez-vous à mon agence de voyage... Avion... 1ère classe... ouverture de crédit à ma banque à votre nom... Télégraphiez le jour et l'heure de votre arrivée... Allo ? Avez-vous compris ?
— Oui, fit Annie. Oui, j'ai bien compris.
— Alors, à bientôt. Je vous attends. Bonsoir.
Là-bas, à l'autre bout du monde, on avait raccroché. Annie reposa le récepteur.
— François ! murmura-t-elle tout bas.
Son audace la fit rougir, comme si elle commettait une profanation. Elle éteignit la lumière et se glissa dans les draps tièdes. A nouveau, elle répéta plusieurs fois « François... François... » comme une incantation. Elle ne savait plus si cet appel s'adressait au vrai François Monceau ou au héros de son rêve, qu'elle avait le fol espoir de retrouver dans son sommeil.

VII

« LE commandant de bord, Bernard Langlois, et l'équipage vous souhaitent la bienvenue à bord du courrier d'Air-France, Paris-Mexico. Nous vous prions d'attacher vos ceintures et d'éteindre vos cigarettes. Nous allons décoller. »

Par le truchement du micro, la voix suave de l'hôtesse de l'air transmettait aux passagers, assis dans l'avion, les consignes de départ.

Annie regarda sa montre, il était 10 h 15. Le ciel était clair et le soleil de mars brillait.

Elle attacha sa ceinture et regarda par le hublot. L'avion se mit en mouvement. Pendant un temps assez long, il roula au ralenti sur la piste. Tout à coup, sans avoir été prévenue par aucune secousse, Annie constata, à sa grande surprise, que l'appareil ne touchait plus terre. Lentement, il s'élevait. La jeune fille découvrît des maisons semblables à des maisons de poupées au milieu de futaies hautes comme des arbrisseaux. Sur une route, mince comme un ruban, de petites boîtes colorées se déplaçaient rapidement dans les deux sens. On eût dit des scarabées, c'étaient des autos.

L'avion ayant atteint son altitude de croisière, les passagers purent détacher leur ceinture.

La plupart avaient la mine blasée de gens habitués à se déplacer en jet, mais pour Annie tout était nouveau. Elle ne pouvait détacher ses yeux du panorama si insolite pour elle : la terre vue d'en haut.

Un steward poussait une table roulante dans l'allée centrale et une hôtesse de l'air proposait aux passagers de 1re classe une coupe de champagne en guise d'apéritif. Annie se cala dans son confortable fauteuil pour déguster le Dom Pérignon.

Depuis l'appel téléphonique, en pleine nuit, de François Monceau, la jeune fille vivait dans une atmosphère d'irréalité. Les quelques jours qui la séparaient de la date de son départ avaient passé si vite qu'elle ressentait l'impression d'avoir été emportée dans un tourbillon.

L'aide de Charles, le fidèle valet de chambre, lui avait été précieuse. Il s'était proposé pour la conduire en voiture et l'aider dans ses démarches. Depuis qu'il avait appris qu'Annie partait rejoindre François Monceau au Mexique, il arborait un air étrangement satisfait, sans faire aucun commentaire.

Un après-midi, en sortant de l'ambassade du Mexique, il avait déclaré à Annie tout à trac :

— Ce n'est pas tout. Avez-vous pensé à vos toilettes ?

— Mes toilettes ?

— Eh oui, c'est important. Vous savez, François Monceau aime que les femmes qui l'entourent soient bien habillées. Il a l'œil, il s'y connaît. Il voit tout ! Et n'oubliez pas que vous allez descendre à l'Hôtel Maria Isabel Sheraton, c'est le plus chic de tout Mexico !

— Mais, objecta Annie, ma garde-robe est modeste...

— Vous n'auriez pas une amie, une copine quelconque qui pourrait vous prêter quelques robes ?

Alors Annie s'était souvenue d'une camarade d'école, Marie-Lou, devenue mannequin. Les deux jeunes filles se voyaient rarement, mais leur amitié d'enfance n'était pas éteinte. Annie s'adresserait à elle ; Marie-Lou avait le cœur sur la main, elle ne refuserait certainement pas d'aider son amie.

— Et n'oubliez pas, avait ajouté Charles d'un ton de conspirateur, surtout pas de vert ! C'était la couleur préférée de Sabine.

Marie-Lou avait reçu Annie avec de grandes démonstrations de joie. La vie leur avait fait prendre à toutes deux des chemins différents et, peu à peu, elles se perdaient de vue. Mais, quand elles se retrouvaient, elles redevenaient les petites filles qui partagaient leurs bonbons et se soufflaient pendant les compositions.

La gamine noiraude, grimaçant derrière le dos de la maîtresse, qu'avait été Marie-Lou, s'était métamorphosée en une belle fille de 1,75 m, aux longues jambes et à la taille de guêpe. Après plusieurs saisons comme mannequin chez les plus grands noms de la couture, elle avait repris son indépendance et était devenue mannequin volant. « Free lance », comme elle disait avec une pointe de snobisme anglo-saxon. Du même coup, elle s'était débaptisée et on la connaissait maintenant dans les milieux de la mode sous le prénom de « Cynthia ».

Mais, pour Annie, elle était toujours Marie-Lou.

Après les premières effusions, les deux jeunes filles s'étaient installées sur le grand divan, dans le studio de Marie-Lou. Tout en buvant du thé et en croquant des biscuits, elles s'étaient confié leurs secrets. Annie avait parlé d'Alain, de la rupture et de sa déception.

— Ça ne m'étonne pas ! s'était exclamée Marie-Lou.

Tous les hommes sont les mêmes. Ah ! ça, pour les promesses ils ne sont pas chiches, ils essaient toujours de vous avoir au boniment. Tu as bien fait de la larguer. Avec ta jolie petite gueule, tu ne seras pas en peine pour trouver mieux.

Marie-Lou, elle aussi, avait beaucoup de choses à raconter. Ses histoires de cœur étaient très compliquées. Elle aimait sortir et s'amuser et, comme elle le disait, elle « voulait profiter de sa jeunesse ».

Annie avait déjà exposé au téléphone à Marie-Lou la situation et expliqué pourquoi elle avait besoin de toilettes élégantes. Marie-Lou s'était fait confier des robes pour pouvoir, à son tour, les prêter à Annie. Mais elle considérait le choix de la carrière de son amie avec perplexité.

— Une belle fille comme toi, disait-elle, passer son temps à fouiller dans des paperasses à la Bibliothèque nationale ! C'est un travail pour vieille fille binoclarde, ça ! Quel mannequin tu serais, toi qui es faite au moule ! Tu ne veux pas que je parle de toi chez Saint-Laurent ?

Annie avait beau l'assurer en riant qu'elle n'avait nulle envie de défiler chez un grand couturier, elle ne parvenait pas à convaincre Marie-Lou.

— C'est un crime de cacher ta beauté dans des bibliothèques, répétait celle-ci. Enfin, j'espère qu'avec les robes que je vais te prêter, tu vas conquérir le Prince Charmant !

Elle s'enthousiasmait pour le voyage de son amie.

— Tu en as de la veine d'aller au Mexique ! Et surtout d'y faire un séjour. Moi, quand je voyage pour présenter des collections, je n'ai que le temps de voir l'aéroport, l'hôtel, les salons où je défile et, de temps en temps, les boîtes de nuit. Tu parles d'un tourisme !

Si Annie avait beaucoup parlé de son travail, en revanche elle n'avait fait que citer le nom de François Monceau. Ce fut Marie-Lou qui attaqua le sujet.

— Tu as aussi une rude chance d'avoir un patron aussi séduisant que François Monceau. Méfie-toi. Il est connu de tout Paris. Il aime conquérir les jolies femmes et pour cela il ne recule devant aucun effort. Mais quand il a obtenu ce qu'il veut, pfft!, il les laisse froidement tomber. Il y en a plus d'une qui s'est bercée d'illusions et qui l'a payé cher. N'allonge pas la liste de ses victimes.

Annie ne répondit rien.

Les deux jeunes filles firent des essayages jusqu'à une heure avancée de la soirée, au milieu des fous rires qui les saisissaient pour les motifs les plus saugrenus.

Enfin, le choix d'Annie se porta sur plusieurs toilettes : un deux-pièces en toile de lin, bleu lavande, veste floue et jupe évasée, une robe en shantung naturel, sans manches, d'une ligne toute droite, qui laissait deviner les courbes du corps en ayant l'air de les dissimuler. Puis une robe d'après-midi, en soie naturelle imprimée dans les tons blanc, mauve et rouge violine.

Le choix fut plus difficile pour la robe du soir. Marie-Lou s'en était fait prêter deux. D'emblée, elle désigna sa préférée, de chez Scherrer. En mousseline, au corselet très ajusté et à la large jupe en fin plissé, couleur vert bronze.

Annie l'essaya sur les instances de Marie-Lou. Celle-ci s'extasiait :

— Prends cette robe, conseilla-t-elle. Prends-la. C'est si réussi ! Ce vert fait ressortir tes yeux bleus. Je t'assure, le contraste est sensationnel !

Annie voulut passer aussi l'autre robe. C'était un modèle de Dior, d'une délicate teinte rose thé, avec un drapé à la grecque et un décolleté asymétrique.

La jeune fille hésita longtemps. Marie-Lou insistait tant en faveur de la robe verte qu'Annie faillit se laisser convaincre. Mais, au moment de se décider, comme une ritournelle assourdie, la petite phrase de Charles résonna dans sa mémoire : « Surtout pas de vert ! C'était la couleur préférée de Sabine ».

Elle choisit la robe rose. Marie-Lou fut très désappointée :

— Je vois ce que c'est, tu es superstitieuse. Parce qu'il faut être folle ou superstitieuse pour refuser une aussi jolie robe verte !

Annie eut un sourire indéchiffrable.

— En effet, convint-elle. Je crois que c'est par superstition que je la refuse.

L'hôtesse déposait devant chaque passager le menu du déjeuner. Annie en prit connaissance, elle lut :

Consommé froid
Médaillon de foie gras
Pintadeau en chartreuse
Pommes nouvelles
Fromages
Glace
Petits fours
Café
Boissons
Vosne - Romanée
Sauternes
Eaux minérales

« Voilà un menu bien alléchant, reconnut Annie. Je sens que si jamais je commets le péché de gourmandise, ce sera aujourd'hui. »

VIII

LE ronronnement régulier et à peine perceptible des moteurs de l'appareil berçait doucement Annie. Elle jeta un coup d'œil par le hublot et aperçut la mer, calme et étale. Des grappes de nuages blancs, légers comme des flocons, se poursuivaient dans le ciel. Parfois, l'avion traversait l'un d'eux et l'on eût dit qu'il était entré dans de l'ouate.

Une hôtesse passa. Elle tenait à la main un grand plateau de bonbons et en offrit à Annie.

La jeune fille ferma les yeux et se lova dans son fauteuil. Elle savourait l'agrément de se sentir ainsi entourée et choyée, au milieu de luxe et de confort. Ce voyage lui rappelait les contes de son enfance où les enchanteurs, d'un coup de baguette magique, transportent l'héroïne dans un carrosse volant, et où de bons génies veillent sur elle et lui offrent des mets succulents.

Elle sourit en se laissant aller à la douce torpeur qui l'envahissait.

Elle s'était couchée tard la veille après avoir dîné chez Mamita. La vieille dame, encore très affaiblie, relevait lentement d'une mauvaise grippe; son doux visage au charme fané était pâle et sa frêle silhouette encore amenuisée. Mais elle avait insisté pour qu'Annie vienne passer sa dernière soirée à Paris avec elle.

La jeune fille avait exprimé sa joie de partir pour le Mexique. Par une étrange pudeur qu'elle-même ne parvenait pas à analyser, elle ne parla que brièvement de François Monceau. Mamita ne fit aucun commentaire tout au long de la soirée, mais quand vint le moment où Annie s'apprêtait à prendre congé, la vieille dame demanda tout soudain :

— Sais-tu, ma chérie, quel est mon âge ?

Interloquée, Annie la regarda.

— Eh bien, reprit Mamita, je suis dans ma soixante-seizième année.

— Pourquoi cette question, Mamita ? demanda Annie alarmée. Vous sentez-vous mal ?

— Non, ma chérie, mais je me sens à l'âge où l'on songe au mariage.

Elle rit devant la stupéfaction d'Annie.

— Oh ! pas pour moi, rassure-toi, mais pour ceux auxquels on tient. Pour toi, par exemple. J'aimerais te voir installée dans la vie et bien accompagnée quand viendra le moment de te faire mes adieux définitifs.

Annie se jeta au cou de Mamita.

— Je vous en prie, ne parlez pas de deux choses qui me déplaisent. Votre départ et le mariage. Vous le savez, la seule idée de vous perdre m'est insupportable. Quant à penser au mariage, ma désillusion est encore trop proche. Je ne suis pas prête à tomber amoureuse de sitôt. Et comme je ne puis concevoir le mariage sans amour, et sans amour réciproque, vous voyez que mes fiançailles ne sont pas encore pour demain.

La vieille dame avait hoché la tête en signe de doute.

— Ma chérie, l'amour est un magicien qui sait comment s'y prendre pour vous ensorceler. Il dispose de tous les sortilèges de la magie blanche, bénéfique. Et aussi de la noire, maléfique. Ce n'est que plus tard — parfois trop tard — que l'on s'aperçoit de laquelle il a usé.

De lointains souvenirs rendaient Mamita rêveuse.

— L'amour revêt souvent une apparence si séduisante pour mieux vous capter! soupira-t-elle.

— Mamita, vous savez bien que je suis une fille raisonnable qui a la tête sur les épaules.

— Oui, ma chérie, je suis persuadée que tu ne te laisseras pas piéger par le miroir aux alouettes.

Plus un mot n'avait été échangé sur ce sujet. Chacune avait compris la pensée de l'autre.

— Lorsque tu seras à Mexico, avait ajouté Mamita, si tu en as le temps, rends-toi au couvent des sœurs de la Visitation. La supérieure, Mère Philomène, est une Française. Je l'ai bien connue autrefois, nous étions très intimes. Transmets-lui mes affectueuses pensées et embrasse-la pour moi.

Quand Annie lui dit au revoir, Mamita la serra longuement dans ses bras.

— Va, ma grande. Je te fais confiance. Tous mes vœux t'accompagnent. Tu en as de la chance d'avoir vingt ans et de partir pour un si beau voyage!

Elle regarda sa montre. Il restait quelques heures de vol. A l'arrivée à Mexico, l'après-midi ne serait pas encore terminé, alors qu'à Paris il serait minuit passé.

«Comment vais-je réagir à un tel décalage horaire? se demanda Annie. Et, de plus, en débarquant à Mexico qui est située à plus de 2000 mètres d'altitude! A-t-on idée de construire une capitale à cette hauteur? Enfin, puisque depuis plus de 600 ans des générations d'habitants l'on supportée, je m'efforcerai de faire comme eux.

Mais les premiers jours, je risque d'avoir la mine défaite. Pourvu tout de même que je ne sois pas trop affreuse demain ! »

Demain ? Elle se retrouverait face à François Monceau. Elle ne pouvait s'empêcher de penser à lui. De quelle humeur serait-il ? Comment le savoir ? C'était un homme si imprévisible. Se montrerait-il hautain et distant ? Ou aimable ? Trop, peut-être. Annie savait ce que sa situation auprès d'un homme célèbre et séduisant comme l'était le romancier avait de périlleux. Elle aurait avant tout à lutter contre elle-même, contre la sorte de fascination que cet homme exerçait sur elle, fascination qu'elle subissait contre son gré et à son grand dépit.

Annie soupira. Soudain, elle se sentait faible et désemparée devant les pièges tendus sous ses pas. Un sentiment de désarroi l'envahissait. N'avait-elle pas présumé de ses forces ? N'aurait-il pas été plus sage de refuser tout net de venir à Mexico ? Maintenant, il était trop tard pour se poser la question. Les dés étaient jetés. Elle ne pouvait plus reculer. Elle devait faire front.

« Il ne faut pas, décida Annie, il ne faut pas que je me conduise comme une gamine naïve et étourdie. De nos jours, une fille, même jeune, n'est plus une agnelle bêlant d'effroi devant le danger. Après tout, François Monceau n'a peut-être nulle envie de me faire la cour. Je ne vais pas à Mexico pour cela, j'y vais pour travailler. Un point, c'est tout. »

Le sommeil gagnait la jeune fille. De temps en temps, elle reprenait conscience de ce qui l'entourait, puis se laissait de nouveau aller à la somnolence.

L'hôtesse passa encore plusieurs fois avec des rafraîchissements.

Quand Annie rouvrit les yeux, l'avion survolait des

chaînes de montagnes séparées par des plaques de terre ocre.

On annonça la vente de produits détaxés en queue de l'appareil. Les femmes se rendirent aux toilettes pour se recoiffer et se refaire une beauté. On approchait du but du voyage.

A nouveau, il fallut éteindre les cigarettes et attacher les ceintures. L'avion se posa sans une secousse. Une des hôtesses fit l'annonce rituelle :

« Nous venons d'atterrir à l'aéroport de Mexico. La température extérieure est de 22 degrés centigrades et il est 17 h 15, heure locale. Les passagers sont priés de ne pas quitter leur siège avant l'arrêt complet de l'appareil. Merci ! ».

A la descente de l'appareil, les passagers prirent le petit bus qui les conduisit dans les bâtiments de l'aéroport. Il y eut le contrôle des passeports, la douane, et Annie se retrouva dans l'immense hall. Elle savait qu'on viendrait la chercher, mais elle ignorait qui.

Les haut-parleurs diffusaient sans interruption, dans toutes les langues, des annonces à travers l'aéroport. Tout à coup, une voix féminine susurra en français :

« Mlle Annie Robert est attendue devant la porte C par le señor Gondicas. Nous la prions de bien vouloir s'y rendre sans retard. »

Le señor Gondicas était un Mexicain replet, court sur pattes, vêtu d'une livrée de chauffeur chamarrée comme l'uniforme de gala d'un général. Il s'exprimait avec force gesticulations et il expliqua à Annie, dans un français zézayant, qu'il était chargé par le « señor Monnsso » de venir la chercher à l'aéroport et de la conduire à l'hôtel. Le « señor Monnsso » était absent pour la journée, il rentrerait très tard et verrait la señorita Robert demain matin, à 10 heures.

En un tournemain, le chauffeur rassembla les bagages d'Annie; il la fit monter dans une Chrysler, dont il semblait être très fier.

Il conduisait vite sans arrêter de parler. Pour ce faire, il se tournait sans cesse vers la jeune fille assise à l'arrière de la voiture. Tenant le volant d'une seule main, la gauche, il agitait en l'air le bras droit, pour souligner son éloquence des gestes indispensables.

A plusieurs reprises, Annie tenta d'attirer l'attention du chauffeur sur le danger de conduire sans regarder, mais il ne tint aucun compte de ses remarques.

La jeune fille était d'autant plus effrayée qu'autour d'eux la circulation était démentielle. Les véhicules roulaient en tous sens, sans aucun souci de réglementation ou de priorité. A tout moment, Annie voyait surgir du flot anarchique une voiture qui fonçait droit sur eux. Vingt fois, elle crut sa dernière heure arrivée.

Au milieu de ce déchaînement, les piétons jaillissaient de la foule colorée et se lançaient avec intrépidité à l'assaut du trottoir d'en face. Et tout cela, au milieu du bruit et des invectives, sous un éclatant soleil.

Imperturbable, le chauffeur continuait à discourir.

Enfin, ils arrivèrent sains et saufs à l'Hôtel Maria Isabel Sheraton, au grand soulagement d'Annie.

A la réception, on était prévenu de son arrivée. On la pria d'attendre quelques instants. Un chasseur allait l'accompagner jusqu'à sa chambre et s'occuper de ses bagages.

Annie s'assit dans un fauteuil-club. Etait-ce le manque de sommeil qui commençait à se faire sentir? Ou les effets de l'altitude élevée? Ou encore le trajet mouvementé, le soleil, les couleurs, le bruit, tout ce dépaysement ? Elle ressentait une sensation bizarre. C'était comme le début d'une légère griserie au champagne.

Machinalement, la jeune fille regardait autour d'elle. Un homme venait d'entrer dans le hall de l'hôtel. Il marchait à grands pas et se dirigeait vers la réception. Il portait une chemise à carreaux bleus et noirs, à col ouvert, et un pantalon de flanelle beige. On ne pouvait distinguer ses traits car il était à contre-jour, mais sa haute taille et ses larges épaules attiraient le regard.

Ce ne fut que lorsqu'il s'arrêta devant elle qu'Annie le reconnut. Elle eut une exclamation de surprise.

— Eh oui, c'est moi, dit François Monceau. Un changement dans mon programme de la journée, des rendez-vous annulés et je rentre plus tôt que prévu. Comment allez-vous ? Avez-vous fait un bon voyage ?

— Mon voyage s'est très bien passé, répondit Annie.

François Monceau avait l'air aimable et détendu.

— Vous avez une mine superbe, remarqua-t-il. On s'occupe de vous, je pense ?

Il alla dire quelques mots à la réception et revint vers Annie.

— Voulez-vous dîner avec moi ce soir ? demanda-t-il. Très simplement. Dans un petit restaurant typique, si cela vous amuse de goûter au plat national *chile* non *carne*, autrement dit : viande au piment. Mais je vous préviens, le chile est un petit piment qui vous enflamme tellement le gosier que vous serez ensuite obligée de faire honneur à la boisson du pays, le *tequila*. C'est de l'alcool d'agave. A moins que vous ne soyez trop fatiguée pour sortir et que vous ne préfériez aller dormir ?

Brusquement, Annie sentit tout son entrain lui revenir. A sa propre stupéfaction, elle s'entendit répondre :

— Mais je ne suis pas du tout fatiguée. Je serai ravie de dîner avec vous ce soir et de découvrir la cuisine mexicaine. Pour rien au monde, je ne voudrais aller dormir maintenant !

IX

Il y avait maintenant une quinzaine qu'Annie était arrivée à Mexico. Les premiers jours avaient été difficiles ; elle avait souffert des malaises qui assaillent tous les touristes. A une telle altitude, l'air est pauvre en oxygène, ce qui entraîne un équilibre différent des globules du sang. Sa période d'adaptation fut marquée par des troubles divers, que les Mexicains appellent, non sans malice, la *tourista.*

Mais la jeunesse et la santé robuste de la jeune fille avaient triomphé de ces inconvénients et elle se sentait maintenant tout à fait bien.

L'Hôtel Maria Isabel Sheraton était un établissement de grand luxe, situé le long du Paseo de la Reforma, la plus belle avenue de Mexico, qui s'étend sur quinze kilomètres au cœur de la ville. Quinze kilomètres de pelouses, d'arbres et de roses.

Il n'y avait aucune limite à la qualité et à l'abondance des services mis à la disposition de la clientèle de l'hôtel. On y trouvait tout : le nécessaire et le superflu.

Une vaste galerie marchande proposait aux acheteurs toute la gamme de production des commerces de luxe, un salon de coiffure assurait son office à toute heure du jour et de la nuit. Le restaurant offrait la diversité des cuisines mexicaine, américaine et européenne ; le coffee-shop, des repas rapides pour gens pressés. On découvrait au sous-sol un night-club avec deux orchestres, une piscine dans le parc et même un sauna. Sans oublier les salles de conférences pour amateurs de congrès en pays ensoleillés.

François Monceau occupait une suite composée d'un salon, d'une chambre et d'une salle de bains. Les pièces, insonorisées et climatisées, étaient spacieuses. L'aménagement en était luxueux et les meubles de style colonial espagnol composaient un décor raffiné.

Bien que privé de l'aide de M. Dauphin, le romancier avait réuni une grande quantité de notes, qui lui avaient permis d'avancer dans la rédaction de son nouveau livre. Il fallait maintenant mettre au net ce premier jet et tenir à jour la documentation.

Tous les après-midi, François Monceau travaillait avec Annie dans son salon. La jeune fille aimait ces heures laborieuses, seule avec le romancier. Sans se départir de sa réserve habituelle, son comportement était moins guindé qu'à Paris ; il savait même à l'occasion se montrer aimable, voire chaleureux.

Souvent, lorsqu'elle écrivait, Annie se sentait observée par François Monceau. Mais quand leurs regards se rencontraient, elle n'avait plus devant elle qu'un masque impénétrable.

Ce jour-là, ils s'étaient mis au travail sitôt après le déjeuner. Vers cinq heures, François Monceau consulta sa montre.

— Nous avons assez œuvré pour aujourd'hui, fit-il brusquement en repoussant ses papiers. Moi, j'ai encore quelques lettres personnelles à écrire, mais je vous donne campos. Profitez bien de votre soirée. N'oubliez pas toutefois que nous partons demain matin de bonne heure pour Cuernavaca. Nous avons un bout de route à faire et je ne voudrais pas que, dès le départ, nous nous attardions.

Annie prit congé de François Monceau. Il était encore tôt. Que pouvait-elle faire ? Elle eut envie soudain de se rendre à la piscine pour nager et prendre un bain de soleil. Le temps d'aller chercher ses affaires et elle y serait. Un ascenseur rapide et silencieux la conduisit à sa chambre.

Bien que moins somptueuse que la suite occupée par le romancier, la pièce lui plaisait beaucoup, avec son grand lit à colonnes surmonté d'un baldaquin, d'où retombaient des rideaux de mousseline blanche, réunis et attachés à chaque angle. Ce lit romantique rappelait à la jeune fille celui de Scarlett, tel qu'il est décrit dans *Autant en emporte le vent*. Le soir, avant de s'endormir, elle aimait à s'imaginer qu'elle aussi était une héroïne promise à de grandes aventures.

Comme toutes les chambres, celle-ci bénéficiait du luxe et du confort qu'un hôtel de classe offre à une clientèle exigeante, accoutumée à user de toutes les ressources du modernisme. Rien ne manquait. Il y avait même un tableau de bord avec quantité de boutons qui réglaient aussi bien l'allumage des lampes que la température de l'air conditionné, le fonctionnement des volets et des doubles rideaux ou de la bonne marche de la télévision et de la radio.

Cette panoplie de gadgets faisait la joie d'Annie, qui s'en amusait comme une enfant, en les faisant manœuvrer les uns après les autres.

La salle de bains ne déparait pas l'ensemble. Le dallage était en marbre, la baignoire étincelait et partout brillaient des glaces et des lumières. Chaque jour, les serviettes de toilette, épaisses et moelleuses, étaient renouvelées.

Annie se changea, mit son maillot de bain et enfila par-dessus un peignoir en éponge. Elle chaussa des sandales en caoutchouc et sortit de sa chambre.

L'ascenseur la redescendit au rez-de-chaussée.

La piscine était située dans les jardins de l'hôtel, au milieu de la végétation luxuriante et des massifs de fleurs. Quelques rochers, artistiquement disposés çà et là, donnaient une note agreste.

Il y avait foule autour du vaste bassin. La clientèle de l'hôtel se composait surtout de touristes américains, avides d'exotisme et de dépaysement. La plupart arboraient des accoutrements extravagants, qu'ils croyaient indispensables pour se mettre au diapason du pays.

Annie portait un maillot noir, d'une pièce, largement échancré, qui moulait son corps long et mince, aux formes harmonieuses. La teinte sombre de son costume de bain contrastait avec les couleurs agressives des tenues des Américaines.

L'eau était douce et la température de l'air idéale. «Fin mars est vraiment la bonne époque pour le Mexique», pensa Annie. Elle nageait la brasse coulée, éprouvant la jouissance de se sentir glisser en un long mouvement cadencé. A plusieurs reprises pourtant, elle se heurta à un jeune homme qui semblait nager en tous sens. A la fin, elle en fut si gênée qu'elle dut s'arrêter, agrippée au bord de la piscine.

En quelques mouvements de crawl, le jeune homme fut près d'elle.

Annie le connaissait de vue. C'était un Américain descendu à l'hôtel. Beau garçon, très sûr de lui, toujours accompagné de superbes créatures qu'il promenait dans sa Cadillac, il offrait l'image du play-boy, fils à papa, insouciant et dépensier.

Il fit un éblouissant sourire et dans un jargon mi-anglais, mi-français, tenta d'engager la conversation. Il se tenait trop près de la jeune fille et, tout en parlant, il lui mit la main sur l'épaule. Annie se dégagea et sortit de la piscine sans répondre.

Elle alla s'intaller un peu à l'écart pour parfaire son bronzage. Elle sentait sur sa peau humide la caressante chaleur du soleil et elle s'allongea sur un rocking-chair pour mieux en profiter.

Elle ne fut pas longtemps tranquille. L'Américain s'approchait, l'air suffisant.

— Hello, Honey![1] lança-t-il.

Annie se leva, ramassa ses affaires et s'éloigna sans un regard pour le jeune Américain.

Elle contourna un massif et s'arrêta net.

François Monceau, étendu dans un fauteuil relax, la regardait venir, en fumant une cigarette.

Il eut un bref sourire ironique.

— Vous avez peut-être tort, dit-il, de quitter ce jeune homme si sèchement. Ce n'est pas n'importe qui. Il est l'héritier d'un des plus gros actionnaires de la Texaco, compagnie puissante, puits de pétrole au Texas, etc.

Annie était stupéfaite. Depuis combien de temps François Monceau était-il là? Il devait avoir vu toute la scène.

— De plus, poursuivit-il, cela demande réflexion. Cet Américain a du goût si j'en juge par la beauté de ses conquêtes. Et aussi par la beauté des bijoux qu'elles portent. Ce jeune homme sait vivre, il faut le reconnaître.

1. Hello, chérie!

François Monceau tira une bouffée de sa cigarette et en exhala longuement la fumée.

— Vous aussi vous êtes très belle, reprit-il. C'est pour cela qu'il vous a remarquée et qu'il a cherché à faire votre connaissance.

Annie ressentit soudain une gêne inattendue d'être en maillot de bain devant François Monceau. C'était comme si elle avait été entièrement dénudée. Elle enfila son peignoir.

Le romancier ne sembla pas le remarquer.

Il poursuivait :

— Ne jouez pas les oies blanches. L'Américain revient par ici. Votre résistance semble plutôt l'exciter. Je parie qu'il va vous inviter à dîner ce soir et qu'en rentrant dans votre chambre vous allez y trouver une corbeille de fleurs. Il semble animé des meilleures intentions.

— Peu m'importent ses intentions, répliqua Annie, et peu m'importent ses cadeaux. Cet Américain semble ignorer qu'une femme n'est pas forcément une distraction, et la beauté une chose qu'on n'est pas forcément enclin à monnayer au cours le plus haut possible. On ne peut tout acheter dans la vie. On ne m'achète pas moi, ni avec des bijoux ni avec des fleurs.

Elle avait parlé d'un ton passionné. Les yeux brillants, elle tremblait d'indignation. Elle n'aurait pu dire ce qui la blessait le plus, l'attitude de l'Américain ou le ton persifleur du romancier.

Mais François Monceau ne persiflait plus.

Il regardait Annie comme jamais personne ne l'avait encore regardée. Elle eut l'impression qu'il la scrutait jusqu'au tréfonds de l'âme. Il la scrutait comme s'il cherchait désespérément à découvrir une chose mystérieuse qui lui échappait.

Son expression était tendue, presque douloureuse. Annie se sentait effrayée par ce regard.

L'Américain arrivait. Il s'arrêta à la hauteur de la jeune fille. L'ignorant complètement, elle passa devant lui, très digne, et, tournant les talons, se hâta en direction de l'hôtel.

Pour ne pas se mettre en retard, Annie s'était levée très tôt ce matin-là, bien qu'elle eût peu dormi. Elle avait souffert d'insomnie, peut-être à cause de l'incident au bord de la piscine. Elle s'habilla d'une jupe de toile couleur paille et d'un chemisier de coton écru.

A l'heure dite, le romancier et Annie prirent le chemin de Cuernavaca.

Guidé par la prudence, François Monceau avait loué une voiture et conduisait lui-même. Il préférait s'abstenir d'avoir recours aux talents du señor Gondicas ou de ses émules.

L'auto filait le long du Paseo de la Reforma. François Monceau désigna à la jeune fille de hauts buildings, véritables tours de verre et d'aluminium dressées au milieu de la verdure.

— Vous voyez ces constructions ? demanda-t-il. Lorsque je suis venu à Mexico il y a trois ans, elles n'existaient pas encore. La ville se développe à une vitesse vertigineuse. C'est d'autant plus étonnant qu'elle est édifiée sur l'ancien emplacement d'un lac. Il a fallu injecter des tonnes de ciment pour empêcher le Palais des Beaux-Arts de continuer à s'enfoncer dans le sol. Pour pouvoir bâtir les buildings, on a dû planter dans les fondations des forêts de pieux de béton. C'est tout à fait remarquable. Mais vous commencez à connaître le Paseo de la Reforma ?

— Oui, dit Annie, je m'y suis déjà promenée.

— Cela vous plaît, je pense ?

— Enormément.

— Toute la vitalité et la splendeur de Mexico palpitent dans cette artère unique au monde. A l'origine, elle s'appelait la promenade de l'Empereur, car c'est Maximilien qui la fit construire pour relier la ville à sa résidence. On dit qu'il s'était inspiré des Champs-Élysées. Nous allons passer tout près de son château.

Tout en parlant, François Monceau gardait les yeux fixés devant lui. Annie voyait se découper son profil énergique, elle admirait ses longues mains fines et nerveuses posées sur le volant. Il conduisait avec beaucoup de sûreté sous une apparente désinvolture.

— Sommes-nous loin de Cuernavaca ? questionna la jeune fille.

— Pas très loin, 80 kilomètres à peu près, mais j'ignore quel sera l'état de la route et aussi de la circulation. Nous avons une journée assez chargée, ajouta-t-il, c'est pourquoi je vous ai fait lever aux aurores, mais je crois que le voyage en vaut la peine.

Passé le quartier cossu de Polenco, ils traversèrent le bois de Chapultepec. Les cyprès, les pins, les eucalyptus, dont certains plusieurs fois centenaires, croissaient à profusion. Après la fraîcheur de la nuit, les arbres réchauffés par le soleil du matin exhalaient leurs arômes, fondus en un capiteux parfum.

Annie aurait souhaité s'arrêter et se promener dans ce bois odorant, mais François Monceau ne semblait pas y songer.

— Cela nous fera du bien de passer la journée à Cuernavaca, dit-il, l'altitude y est beaucoup moins élevée qu'à Mexico. Dans ce pays, c'est l'inverse, on va en basse altitude comme, ailleurs, on va à la montagne. Savez-vous d'où vient le nom de Cuernavaca ?

— Je sais juste trois mots d'espagnol, répondit Annie. Mais je crois que cela signifie « corne de vache » ?

François Monceau eut un sourire.

— C'est exact, fit-il. En fait, le nom a été déformé. A l'origine, il y avait là un village indien nommé Cuauhnahuac, traduction : « Près des montagnes boisées ». C'est plus poétique.

— Il paraît que l'endroit est superbe ?

— On le prétend. C'est là que l'empereur Maximilien et sa femme Charlotte, tous deux jeunes et amoureux, venaient passer des heures d'oubli, quand la situation politique explosive leur en laissait le loisir.

Le romancier se tut. Le trafic devenu intense requérait toute son attention. La circulation était encore rendue plus difficile par les creux et les bosses de la route.

La traversée des villages n'était pas plus facile, si elle était plus pittoresque. Jamais Annie n'avait vu un tel amoncellement de fruits plus divers que ceux des marchés, offerts sur des nattes posées à même le sol. Des oranges, des pamplemousses, des citrons, des ananas, des pastèques, des melons, bien sûr, mais aussi des avocats, des mangues, des papayes, aussi grosses que des citrouilles, des noix de coco. La jeune fille n'en croyait pas ses yeux.

— Tous les fruits poussent donc, dans ce pays ? demanda-t-elle.

— Tous les fruits, répondit François Monceau, puisqu'il y a tous les climats.

A d'autres endroits, on proposait des légumes ou bien des poteries et des vanneries, entassées pêle-mêle.

Des troupes d'enfants à la peau foncée, au regard

sombre, couraient entre les étalages, les renversaient parfois. Personne ne les grondait.

Au milieu de la poussière, des chiens et des poules squelettiques erraient, cherchant leur pitance.

Quelques vendeurs de bananes, accroupis auprès de leur éventaire le long de la route, attendaient, résignés et indolents.

*
* *

Enfin, ils arrivèrent à Cuernavaca.

— L'horaire est respecté, dit François Monceau. Nous avons le temps d'aller aux jardins Borda avant le déjeuner. C'est là que nous trouverons la trace de mes héros.

Les Jardins Borda surpassaient en magnificence toutes les descriptions. Le parc à l'italienne étalait une profusion luxuriante de végétation, de fleurs multicolores, de palmiers et de cocotiers. Des perroquets bariolés jacassaient et menaient grand tapage dans les buissons.

Annie riait de ravissement.

— Tout est trop beau. Cela semble irréel.

— C'est magnifique, en effet, renchérit François Monceau. On m'avait prévenu, mais la réputation est encore au-dessous de la réalité.

Il souriait et semblait être de très bonne humeur.

— Allons voir la pièce d'eau, proposa-t-il.

Il prit Annie par le bras pour la guider. La pièce d'eau était située au milieu du parc.

— C'est là que l'impératrice Charlotte se promenait en barque avec ses dames d'honneur, tandis que se faisait entendre un orchestre dissimulé dans un bosquet, expliqua François Monceau. Pendant ce temps, le jeune empereur herborisait pour se délasser des soucis du pouvoir.

Annie imaginait les jeunes femmes rieuses, vêtues de larges crinolines aux teintes pastel qui les faisaient ressembler à des fleurs, voguant sur l'eau, bercées par la musique.

— L'impératrice Charlotte a dû être heureuse ici, murmura-t-elle.

— Oui, ce furent pour elle et pour son mari de courtes haltes rendues bienheureuses par l'amour. L'amour qui a le surprenant pouvoir de tout faire oublier.

Son ton était amer. Annie le regarda et fut surprise de son changement d'expression. Elle remarqua le pli désabusé de ses lèvres.

— Tout cela finit très mal, conclut le romancier. Maximilien fut fusillé par les révolutionnaires et la pauvre Charlotte perdit la raison.

Ils firent quelques pas en silence. Il sembla à Annie que la splendeur du parc s'estompait.

François Monceau consulta sa montre.

— J'ai rendez-vous avec le conservateur des Jardins Borda, dit-il. Venez avec moi. Il nous donnera sûrement des renseignements du plus grand intérêt.

Le conservateur, vieil homme charmant, les reçut dans son bureau. Il parlait un français parfait. Il expliqua que le mot « Borda » était la déformation de « Laborde », nom du richissime Français qui s'était fait construire une splendide résidence entourée de jardins, au XVIIIe siècle. La résidence avait disparu, mais les jardins étaient toujours là.

Le conservateur retraça le passé historique de la ville et de la région.

Annie n'écoutait que distraitement. De l'endroit où

elle était assise, elle pouvait, par un jeu de miroirs, observer François Monceau. Plus rien ne subsistait de l'amertume dont était empreinte sa physionomie lorsqu'il avait fait cette remarque sur l'amour.

Manifestement, il avait produit une impression favorable sur le conservateur, qui le traitait avec beaucoup d'égards. Bien que le romancier se comportât toujours de façon simple et courtoise, il y avait dans son attitude, dans ses gestes, dans sa façon de parler quelque chose qui le différenciait des autres hommes.

«Il a une personnalité hors du commun, reconnut Annie. Cela se remarque tout de suite. Et il émane de lui une séduction que nul ne peut méconnaître.»

Ils déjeunèrent fort tard, suivant l'habitude du pays.

Au menu, il y avait des *tortillas,* crêpes à la farine de maïs aplaties à la main, dans lesquelles on dépose toutes sortes d'aliments, du porc, des haricots noirs, des légumes, avec, bien entendu, de l'*enchilada* incendiaire. Ces mets épicés leur donnèrent une soif ardente et, comme il était très dangereux de boire de l'eau à cause des amibes, ils prirent du *tequila.*

Lorsqu'ils ressortirent de la *posada,* ils visitèrent la ville. Ils virent le palais Cortés, la cathédrale édifiée par les franciscains et l'église de la Guadalupe. Puis ils flânèrent dans la vieille cité aux ruelles escarpées. Les pavés inégaux rendaient la marche malaisée. François Monceau vint au secours d'Annie et l'aida en la prenant par le bras ou en lui tenant la main, avec une grande prévenance.

Ils s'arrêtaient pour admirer les maisons peintes de couleurs claires, ornées de balcons de fer forgé où s'accrochaient les bougainvilliers aux grappes violettes. François expliquait à Annie des détails d'architecture.

Parfois, tous deux jetaient des coups d'œil furtifs par les fenêtres grillées pour apercevoir les patios avec leurs fontaines et leurs fleurs.

Annie aurait souhaité que cette promenade durât toujours. Elle était dans un état d'euphorie qu'elle n'avait jamais ressenti auparavant. Jamais le ciel n'avait été plus bleu, jamais les fleurs n'avaient été si belles.

«Ce doit être l'effet du *tequila*» se répétait-elle pour mieux s'en persuader.

— Il est temps de songer au retour, fit tout à coup François Monceau.

— Déjà! s'étonna Annie.

Il sourit devant la protestation de la jeune fille.

— Eh oui, déjà! Mais, consolez-vous, nous allons repartir par la «sierra Encantada».

— Qu'est-ce que cela veut dire?

— Cela signifie «la forêt enchantée».

Le site méritait son nom. Un cirque de montagnes entourait la ville et ces montagnes aux cimes enneigées avaient leurs pentes couvertes de conifères.

François Monceau et Annie descendirent de voiture et firent quelques pas sous les arbres.

Des papillons aux ailes diaprées voletaient, des colonies d'oiseaux de toutes couleurs, inconnus en Europe, chantaient à pleine gorge. Dans ce décor, Annie n'aurait même pas été surprise de voir surgir des elfes et des gnomes ou des biches venant lui lécher les mains.

— Comme tout cela est beau! murmura-t-elle.

Elle avait prononcé ces mots pour elle-même, avec tant de ferveur que François Monceau se tourna vers elle. Il fut sur le point de dire quelque chose, mais il se ravisa et garda le silence.

Il semblait que la nuit tombait très vite. Le ciel s'était brusquement obscurci. Un grondement très lointain se fit entendre. Puis, coup sur coup, deux autres, de plus en plus proches. Les oiseaux s'étaient tus.

François Monceau prêta l'oreille.

— On dirait un orage, dit-il. Je préférerais que nous ne soyons pas surpris dans la montagne. Il faut rentrer très vite.

Ils regagnèrent la voiture. Au moment où ils l'atteignaient, un bruit sec et violent, comme un déchirement, les fit sursauter. Les premières gouttes de pluie tombaient déjà.

X

L'AVERSE s'était abattue avec une exceptionnelle brutalité. En quelques instants, le paysage avait été noyé sous les trombes d'eau. L'essuie-glace n'était plus d'aucun secours. La pluie était si dense qu'elle formait un rideau opaque.

François Monceau avait essayé de mettre la voiture en marche. Il dut très vite renoncer.

— Rien à faire, dit-il. Le moteur sera tout de suite noyé et on n'y voit pas à un mètre.

Il se tourna vers Annie.

— N'ayez pas peur. Le mieux est d'attendre que ça passe et de prendre son mal en patience.

— Je n'ai pas peur.

— C'est bien, vous êtes une fille courageuse. Nous allons rester dans la voiture. L'orage ne devrait pas durer, ce n'est pas encore la saison des pluies.

Ils restèrent assis dans la voiture. Cependant, l'accalmie espérée ne se manifestait pas.

Ce qui avait semblé, de prime abord, n'être qu'un orage banal se révélait être un ouragan d'une rare violence.

Annie commençait à se sentir mal à l'aise. A cause de

la pluie, ils avaient été obligés de fermer toutes les vitres de la voiture. L'air commençait à manquer et la température s'élevait à l'intérieur du véhicule.

Un long quart d'heure passa dans l'attente.

Ils entendaient le vent mugir. De sinistres craquements succédant aux coups de tonnerre leur annonçaient que la foudre venait de s'abattre sur la forêt.

François Monceau réfléchissait, la mine anxieuse.

— Il n'est pas prudent de rester là, fit-il. La route où nous sommes est en contrebas. Il nous faut gagner un abri couvert. En passant, j'ai aperçu des grottes au-delà de la petite ravine, sur notre gauche. Les avez-vous vues ?

— Oui. Elles sont en effet au-dessus de la ravine.

— C'est exact. Vous allez descendre la première. Vous traverserez, il doit y avoir maintenant un peu d'eau dans le lit du ravin, vous allez sûrement vous mouiller les pieds. De l'autre côté, vous m'attendrez. Moi, je prends ma serviette dans laquelle j'ai rangé mes papiers et je vous suis.

— Entendu.

Annie ouvrit la portière et sortit de la voiture. Guidée par la lumière des phares, elle se dirigea tant bien que mal vers sa gauche. Elle avançait difficilement. La violence du vent était telle que la jeune fille vacillait sur ses jambes. Elle pénétra dans la zone d'ombre et eut beaucoup de mal à se repérer, tant l'obscurité était profonde. Seuls les éclairs zébrant le ciel trouaient par à-coups les ténèbres.

Elle distingua vaguement l'emplacement de la ravine. Des arbrisseaux croissaient au bord. Annie s'y accrocha d'une main et entreprit de descendre.

Elle allait au jugé, cramponnée à la végétation, s'efforçant d'assurer ses pieds avec précaution avant de les poser sur la rocaille. La pluie la cinglait avec une telle force qu'elle en avait le souffle coupé.

Tout à coup, au moment où elle tentait de saisir une branche qui l'avait frôlée, Annie perdit le contrôle de la descente. Les pierres sur lesquelles elle appuyait ses pieds cédèrent. Elle se sentit partir et dévaler le long de la pente.

Elle tomba à plat ventre dans l'eau.

Le lit du ravin, presque à sec quelques heures auparavant, s'était transformé en torrent, soudainement grossi par la pluie torrentielle.

Sentant qu'elle s'enfonçait dans l'eau, Annie tenta de se redresser d'un coup de rein. Mais le courant était si impétueux qu'elle ne parvenait pas à se remettre debout. C'était comme si, à chaque fois, on l'avait saisie par les chevilles avec une force irrésistible pour la secouer et lui faire perdre l'équilibre.

Il était impossible de nager dans ces remous au milieu des rochers. Annie sentait monter l'angoisse.

Elle était seule, seule au milieu de la nature déchaînée. Une nature dont les soubresauts fantastiques ne ressemblaient en rien à ceux auxquels elle était habituée. Une nature devenue en quelques heures une force étrangère et hostile.

Un coup de tonnerre plus violent que les autres ébranla l'atmosphère.

Annie suffoquait. L'eau du torrent tourbillonnait autour d'elle, la projetant sur les pierres.

« Je vais mourir, pensait-elle. Pourquoi suis-je seule ? Où est François Monceau ?

Dans un ultime effort, elle se redressa et, de toute la force de ses poumons, elle hurla :

— Au secours ! A l'aide ! François, où êtes-vous ?

Seul, répondait le vent qui continuait à mugir.

Annie avait conscience que sa voix ne pouvait être entendue dans le vacarme de l'ouragan déchaîné, qui risquait à tout moment de la briser comme un fétu de paille.

Et, pourtant, elle continuait à appeler, avec l'énergie du désespoir :

— François ! A moi ! Au secours !

Combien de temps Annie hurla-t-elle ainsi dans la tempête ? Il lui sembla que l'attente durait une éternité.

Enfin, une voix humaine parvint à ses oreilles.

— Ohé ! Où êtes-vous ?

— Je suis là, cria-t-elle. Dans le ravin. Venez vite.

— Tenez bon. J'arrive.

Elle avait les deux mains crispées sur l'arête d'un rocher, toutes ses forces bandées pour ne pas être entraînée par le courant.

— Enfin, je vous trouve ! N'ayez plus peur, je suis là.

Deux bras puissants saisirent la jeune fille. Sans cette aide, elle ne serait jamais parvenue à se remettre debout. Ses jambes tremblaient et se dérobaient sous elle.

— Je ne peux pas marcher, gémit-elle.

— Accrochez-vous à moi, dit François Monceau.

Annie noua ses mains autour du cou du romancier. Elle sentit qu'il la prenait à bras-le-corps et l'arrachait à l'eau du torrent. Il longea la rive sur quelques mètres, avançant avec beaucoup de précautions dans l'obscurité quasi totale. Puis, il bifurqua.

Annie comprit qu'il allait essayer de traverser le ravin. Elle entendait le bruit de l'eau qui frappait contre les rochers. Elle se raidit. L'angoisse la saisissait à nouveau.

— Non, non...

— Restez calme, dit François Monceau. Il y a là une

sorte de gué et nous allons traverser sans difficulté. Faites-moi confiance.

Le ton énergique avec lequel il énonçait cette affirmation rendit confiance à Annie. Malgré elle, elle était subjuguée par la force tranquille qui émanait de l'homme qui la portait dans ses bras.

Pas un mot ne fut prononcé pendant la traversée du gué. Pour garder l'équilibre, en dépit de son fardeau, et pour résister au courant, François Monceau dut déployer toute sa volonté. Il s'arc-boutait, des pieds et des genoux, à l'escarpement des roches, tous ses muscles raidis pour lutter contre les éléments déchaînés. L'effort était tel qu'il haletait à un rythme précipité.

Enfin, ils atteignirent l'autre rive.

— Je vais essayer de marcher, fit Annie.

— Vous sentez-vous assez forte ?

— Oui, cela va mieux.

François Monceau reposa la jeune fille à terre. Il la soutint, car, en dépit de son courage, elle tenait à peine debout. Elle dut s'arrêter souvent. Ils gravirent lentement la pente.

— Il doit certainement y avoir des grottes où nous pourrons nous installer, dit François Monceau. Ne bougez pas d'ici, je vais aller voir.

— Non, supplia Annie, ne me laissez pas seule.

— Venez avec moi.

Ils errèrent un moment. François Monceau tâtait la paroi rocheuse pour trouver une issue. Tout à coup, il poussa une exclamation.

— Là, je suis sûr qu'il y a une grotte, je sens une ouverture. Je vais essayer de m'y glisser. Si mon briquet veut bien s'allumer, je pourrai voir à l'intérieur.

Il se glissa dans la faille. Il réussit à faire fonctionner son briquet et examina les lieux. Il ressortit aussitôt.

— C'est ce qu'il nous faut, dit-il à Annie. Ici, au moins, nous serons au sec et en sûreté.

Il aida la jeune fille à entrer. Ils se trouvaient dans une excavation naturelle assez profonde, autant qu'on pouvait en juger à la lumière tremblotante du lumignon.

Annie n'en pouvait plus. Elle s'assit par terre, le dos appuyé à la muraille.

— Comment vous sentez-vous ? demanda François Monceau.

— Très bien, répondit-elle.

Et pourtant, la frayeur avait été trop forte. En disant ces simples mots, la jeune fille sentit que ses larmes commençaient à couler. Elle voulut se reprendre, presque honteuse de se mettre à pleurer alors que le danger était passé, mais ses nerfs la trahirent. Au lieu de s'arrêter, elle se mit à sangloter de plus belle.

« Je suis ridicule, pensa-t-elle. De quoi ai-je l'air ? Que va penser de moi François Monceau, en me voyant me laisser aller de la sorte ? » Mais Annie était impuissante à juguler sa crise de larmes.

François Monceau s'était assis près d'elle, sans mot dire. Il la laissa pleurer tout son soûl. La jeune fille tenait la tête baissée. Il lui caressa les cheveux d'un mouvement doux, presque tendre.

— Allons, dit-il enfin, c'est fini maintenant. N'ayez pas honte d'avoir eu peur. Vous avez été très courageuse. C'est moi qui ai été imprudent, je n'aurais jamais dû vous laisser partir seule. Je me le suis amèrement reproché.

— Pourquoi n'ai-je pu passer ?

— Vous vous êtes trompée de chemin. Dans l'obscurité, vous êtes allée beaucoup trop à gauche, là où la ravine s'élargit en une gorge profonde.

Il gardait la main toujours posée sur la tête de la jeune fille.

— Quand j'ai réalisé que vous aviez pris un mauvais chemin, que vous vous étiez égarée, j'ai été saisi d'épouvante. Je vous ai cherchée, je vous ai appelée.

— Et votre serviette ? demanda Annie. Tous vos papiers ? Où sont-ils ?

— Quelque part dans le ravin. Si je voulais vous sortir du mauvais pas où vous vous trouviez, il fallait que je sois libre de mes mouvements. J'ai lâché ma serviette.

Annie releva la tête et regarda le romancier. Ainsi, dès qu'il avait compris qu'elle était en danger, il n'avait pas hésité un instant et avait abandonné ses papiers, ses précieux papiers auxquels il tenait comme à la prunelle de ses yeux !

— Merci ! Oh, merci ! murmura-t-elle.

François fit comme s'il n'avait pas entendu.

— Vous êtes trempée jusqu'aux os. Vous ne pouvez rester comme cela. Il faudrait que l'on puisse faire sécher vos vêtements. Si je réussis à trouver des feuilles et des brindilles dans cette grotte, j'essaierai de faire du feu.

A force de chercher, il finit par amasser suffisamment de menu bois pour dresser un petit bûcher.

— Maintenant, dit-il, faites une prière pour que le feu veuille bien prendre.

Il s'activa tant et si bien qu'à la fin une minuscule flamme apparut. Elle grandit, gagna les brindilles environnantes et le feu commença à crépiter.

François Monceau, qui s'était agenouillé près du foyer pour souffler doucement dessus afin de l'attiser, se redressa, fier de lui :

— Savez-vous que, suivant le dicton populaire, pour

réussir à faire un bon feu il faut être amoureux, fou ou philosophe ?

Il sourit et ajouta :

— Mais il n'est pas interdit d'être les trois à la fois.

Annie sourit à son tour. Elle se sentait mieux.

— Il faut profiter de ce feu pour faire sécher vos vêtements, reprit-il. Vous n'allez pas rester toute la nuit ainsi, vous êtes trempée comme une soupe.

— Mais... mais je ne peux pas.

— Et pourquoi ?

— Parce que je n'ai rien pour me changer. Je ne peux pas rester déshabillée.

— Je vais vous prêter ma chemise, elle n'est pas mouillée, ma veste l'a protégée. Vous l'enfilerez pendant que vos affaires sèchent.

— Mais je ne serai qu'à demi vêtue !

— La belle affaire ! Vous ne serez pas la première femme que je verrai ainsi. Et vous en montriez bien davantage l'autre jour à la piscine.

— Ce n'était pas pareil, balbutia Annie.

Elle sentait qu'elle rougissait. Elle se détourna, tandis qu'il poursuivait :

— Écoutez, je ne voudrais pas qu'il y ait de malentendu entre nous. Vous pouvez sans crainte aucune retirer vos vêtements mouillés devant moi. Vous ne risquez rien, non parce que je ne vous trouve pas séduisante, mais parce que je vous respecte.

Il avait parlé d'un ton neutre. Annie releva la tête et fut surprise de l'expression des yeux de François Monceau. Était-ce la lueur du foyer qui se reflétait dans ses prunelles ? D'où provenait cet éclat d'une grande douceur ? Était-ce seulement un reflet extérieur ou l'émanation d'une pensée ?

Ils se regardèrent. Ce fut comme si le temps s'était

arrêté, comme s'il avait suspendu sa course. Il n'y avait plus qu'un homme et une femme face à face.

Annie sentait son cœur battre à grands coups dans sa poitrine.

François Monceau se détourna.

— Allons, fit-il d'un ton décidé. Dépêchez-vous si vous ne voulez pas risquer d'attraper une pneumonie. Cela me donnerait des remords, car je m'en sentirais responsable.

L'obscurité gagnait peu à peu toute la grotte. Le feu s'était éteint. Seules, quelques braises rougeoyaient encore sous la cendre.

Annie entendait la respiration régulière de François Monceau, allongé non loin d'elle. Il avait les yeux clos. Dormait-il ? Tous deux s'étaient étendus pour passer la nuit puisqu'ils ne pourraient repartir qu'au matin.

La jeune fille ne dormait pas. Non pas qu'elle fût le moins du monde inquiète. Au contraire, elle avait une confiance profonde dans la parole de François Monceau. Quand il lui avait dit qu'il la respectait, elle avait senti que ce n'était pas une simple affirmation de principe ou une formule de politesse. C'était comme une promesse, comme un engagement solennel. Elle savait qu'il ne faillirait pas à la parole donnée.

« Comme c'est étrange, songeait-elle. J'ai failli me noyer, je suis couchée sur le sol dur d'une caverne inconfortable, l'humidité me glace les os, j'ai faim, j'ai soif et je n'ai rien à manger ni à boire, et pourtant je suis heureuse. Je voudrais que cette nuit ne finisse pas, que nous restions seuls comme nous le sommes, isolés par la tempête au fond de la forêt. Je voudrais qu'il n'y ait plus de monde extérieur pour faire écran entre François et moi. Est-ce que je l'aime ? »

Elle essaya de voir clair en elle-même. Longtemps elle avait lutté contre le tendre sentiment qu'elle sentait croître et auquel elle ne voulait pas succomber. Et voilà que les événements dramatiques qu'elle venait de vivre avaient fait craquer la gangue de protection dont elle s'était entourée et qu'elle croyait si solide.

Elle était submergée par le sentiment qu'elle éprouvait pour François, un sentiment plus intense, plus ardent que celui qu'elle avait naguère ressenti pour Alain.

Étais-ce cela le véritable amour?

Et lui? Quels étaient ses sentiments?

Il était attiré par Annie. Elle en était sûre. A maintes reprises au cours de cette journée, la jeune fille l'avait compris. Les femmes sentent, devinent ces choses-là. Et quand il était venu à son secours, qu'il l'avait appelée d'une voix angoissée, qu'il l'avait prise dans ses bras et serrée contre sa poitrine puissante, il n'agissait pas seulement par devoir. Il y avait quelque chose de plus tendre et de plus profond que l'altruisme. Il y avait le désir farouche de l'arracher au danger, de la sauver.

Au-dehors, les éléments s'apaisaient. Annie n'entendait plus que le bruit régulier et continu de la pluie qui tombait, fine et serrée. Peu à peu, la nature retrouvait son calme.

Mais, dans le cœur d'Annie, la tempête s'était levée.

XI

LORSQU'ILS sortirent de la grotte, le lendemain matin, François et Annie n'en crurent pas leurs yeux. Plus aucune trace ne subsistait de la tourmente, si ce n'est un fond d'eau boueuse dans le lit du ravin. Le ciel était limpide, le soleil déjà chaud. Tous les oiseaux, revenus comme par miracle, s'égosillaient pour saluer le retour du beau temps. La nature avait oublié sa furie de la veille.

François et Annie se regardèrent et éclatèrent de rire. Leurs vêtements étaient salis et fripés et leurs cheveux auraient eu le plus grand besoin d'un coup de peigne. Annie avisa une cuvette naturelle qui s'était formée entre deux pierres et dans laquelle l'eau de pluie s'était conservée. La jeune fille en prit dans le creux de ses mains et s'en aspergea le visage avec soin, pour en retirer toute marque de boue ou de poussière.

Après ces rapides ablutions, elle démêla ses boucles avec ses doigts. Ses cheveux ainsi libérés formaient une masse mousseuse qui nimbait son visage d'une auréole de blondeur, et la faisaient ressembler à une ravissante sauvageonne.

François ne l'avait pas quittée des yeux.

— Vous voilà plus présentable, dit-il. Quand je vous ai sortie du torrent, vous faisiez peine à voir.

Il ajouta :

— Nous allons prendre le chemin du retour. Mais je doute que nous puissions nous servir de la voiture. Elle a dû subir des dommages.

— Avant de partir, je voudrais vous exprimer ma reconnaissance pour tout ce que vous avez fait pour moi. Du fond du cœur, je vous dis merci.

— Vous n'avez pas à me remercier. Ce que j'ai fait était tout naturel.

— A cause de moi, vous avez perdu une documentation d'un immense intérêt. J'en suis vraiment navrée.

— Peut-on mettre en balance une seconde des papiers, même importants, et votre vie ? s'exclama-t-il avec véhémence.

Il se reprit :

— Avec une vie humaine. Croyez-moi, c'était tout naturel.

La chaleur de son ton avait frappé Annie.

— Permettez-moi de vous renouveler ma gratitude pour... pour tout.

Elle s'était approchée de lui. L'émotion avivait le rose de son teint et faisait briller ses yeux, les rendant encore plus bleus.

François aussi s'était rapproché. Sans mot dire, il prit la jeune fille dans ses bras et, un moment, resta immobile, comme pétrifié. Lentement, il se pencha vers elle et embrassa son visage. Ses baisers doux et rapides pleuvaient sur les cheveux, le front, les yeux, les joues. Soudain, il lui prit la bouche en un mouvement impulsif. Annie se sentit défaillir, une force irrésistible s'emparait d'elle. Elle répondit à son baiser avec tout l'élan de sa passion.

Tout aussi soudainement, François lâcha brusquement la jeune fille. Il la repoussa, fit quelques pas en arrière et se passa la main sur le visage, l'air égaré.

Annie restait là, stupéfaite, le visage devenu livide.

Le silence s'installait entre eux.

«Pourquoi agit-il ainsi? Mais pourquoi? Après m'avoir embrassée si ardemment, il me repousse, comme s'il était furieux, comme si c'était moi qui l'avais provoqué.»

— Pardon, dit François d'une voix sourde, sans regarder la jeune fille.

— Je n'ai rien à vous pardonner, fit-elle. C'est moi qui aurais dû être moins crédule. Mais je suis sans doute trop naïve pour être experte à ces jeux où l'on feint des sentiments que l'on n'éprouve pas, où l'on fait semblant sur l'impulsion du moment.

— Écoutez!

François l'arrêta d'un geste.

— Ne me croyez pas si frivole. Et ne soyez pas offensée par mon geste, inconsidéré, je le reconnais. Mais je vous voyais si belle dans cette lumière radieuse! Et il y avait la joie de nous savoir vivants après la rude épreuve que nous venons de traverser. J'ai été saisi d'une allégresse que je n'ai pas su réprimer.

— Et puisque j'étais là, murmura Annie avec amertume, c'est moi qui ai bénéficié de cette allégresse.

François lui tendit la main.

— Ne me gardez pas rancune, je vous en prie, bien que je reconnaisse que vous auriez le droit d'être fâchée.

Il parlait d'un ton dégagé, mais son aisance, si elle était très bien jouée, n'était pas naturelle. Ses traits étaient altérés par une émotion qu'il s'efforçait de réprimer. On eût dit qu'un combat se déroulait en lui.

Longtemps, il médita silencieux. Annie s'éloigna sans bruit afin de le laisser seul.

Enfin, François parut reprendre ses esprits. Il ne vit plus la jeune fille et appela:

— Annie!

C'était la première fois qu'il l'appelait par son prénom, et non plus par le protocolaire «Mlle Robert».

Sa voix grave, aux intonations chaudes, avait une inflexion douce, presque tendre.

La jeune fille s'avança, toute palpitante d'espoir.

Il la regarda revenir vers lui. Il ébaucha un geste, comme s'il avait voulu lui tendre les bras. Mais il se raidit et dit simplement:

— Faisons la paix. Je vous promets que cet incident ne se renouvellera plus.

Le moteur de la voiture était noyé. Il fallait gagner à pied le village le plus proche.

Annie et François se mirent en route à travers la forêt. Ils marchèrent longtemps, sans parler, chacun d'eux plongé dans ses propres pensées. Le soleil était très haut lorsqu'ils rencontrèrent un paysan conduisant une carriole.

L'homme fut surpris de voir ce couple d'Européens déambuler sur la route, mais les explications que François lui donna en espagnol lui suffirent. D'un geste amical, il les invita à monter auprès de lui et il cingla son cheval efflanqué pour le faire trotter plus vite.

Arrivés au village, Annie et François furent tout de suite le centre de l'intérêt général. Les enfants vinrent faire cercle autour d'eux, les dévisageant avec curiosité. Les femmes, qui bavardaient autour de la fontaine ou sous la véranda en tôle ondulée de l'épicerie, se détournèrent de leurs papotages pour s'approcher et examiner les *gringos*.

Le paysan dit quelques mots. François répondit en acquiesçant d'un mouvement de tête. Il prit le bras d'Annie et tous deux suivirent l'homme.

— Il nous invite à nous restaurer chez lui, expliqua le romancier. Il est dommage que vous n'ayez pas compris ce qu'il vient de dire. Les lois de l'hospitalité sont tellement sacrées dans ce pays que lorsqu'un Mexicain vous invite chez lui il ne dit jamais: «venez chez moi», il emploie la formule «chez vous». Dire à quelqu'un: «Je vous invite dans «*ma*» maison» est considéré comme une grossièreté. L'invité doit se sentir aussi à l'aise que si la maison était la sienne.

Le paysan habitait une bâtisse sans étage, couverte de tuiles, construite, comme toutes celles du village, en briques d'*adobe*.

Ce mot avait un parfum d'exotisme qui tintait joliment aux oreilles d'Annie. François lui expliqua que, en fait, c'était tout bonnement un mélange de terre argileuse, délayée avec des cailloux, de la paille, le tout comprimé en briques.

— C'est ce qu'en France on appelle du pisé, ajouta François.

Arrivé dans la maison, l'homme retira son vêtement, une couverture à franges, aux dessins géométriques colorés, percée en son milieu pour permettre de passer la tête.

— C'est un poncho! dit Annie.

François rit.

— Nous, Français, l'avons baptisé poncho, on ne sait trop pourquoi. Au Mexique, cela s'appelle *sarape*. Les paysans ne s'en séparent jamais. Ils savent d'expérience que, quelle que soit la chaleur du jour, les soirées seront toujours fraîches et qu'à certaines époques ils risquent d'être surpris par des pluies diluviennes. Avec leur sarape, ils sont protégés contre toutes les intempéries.

La femme du paysan était venue saluer les hôtes. Les quatre enfants, trois filles et un garçon, regardaient les nouveaux arrivants en silence, de leurs grands yeux sombres.

Tout le monde prit place autour de la table, excepté la femme qui resta debout pour servir.

Il semblait difficile de deviner l'âge de cette femme. Elle ne devait pas être vieille, puisqu'elle avait de jeunes enfants. Mais son visage fané était sillonné de rides profondes, son expression était lasse et résignée. Son costume consistait en une pièce d'étoffe, sorte de long châle aux pans flottants enroulé autour de son corps maigre.

— Comment s'appelle ce vêtement? demanda Annie.

— C'est le *rebozo* expliqua François. Les pans servent à tout. Aussi bien à se couvrir la tête lorsqu'on pénètre dans une église, qu'à soutenir les enfants pour permettre à la mère de se servir de ses mains ou à se protéger contre les caprices du climat.

Comme chez tous les Mexicains pauvres, la nourriture était simplifiée à l'extrême. Ils mangèrent des *tortillas,* bien entendu, des haricots noirs, des patates douces et les hôtes eurent droit à quelques morceaux de porc. Ils burent du *pulque,* breuvage mousseux, légèrement alcoolisé, à l'odeur nauséabonde.

Annie hésitait à y goûter et François le remarqua.

— Ce n'est pas agréable à nos palais d'Européens, dit-il, mais vous pouvez en boire sans crainte. C'est une boisson étonnamment riche en vitamines.

— Avec quoi la fabrique-t-on ? questionna la jeune fille.

— Elle est tirée de l'agave. Vous savez, ces plantes si décoratives avec leurs feuilles longues et charnues. On en recueille la sève et on la laisse fermenter. Le repas vous plaît-il ?

— Beaucoup. J'avais si faim que j'étais prête à dévorer n'importe quoi.

François sourit en la voyant mordre à belles dents dans une *tortilla*. Elle ne paraissait nullement éprouvée par l'épreuve de la nuit précédente, qui ne serait bientôt plus qu'un souvenir.

Les enfants parlaient entre eux. Le garçon, bien qu'étant le plus jeune, prenait un ton de commandement pour s'adresser à ses grandes sœurs et même à sa mère. Annie le fit observer à François.

Celui-ci eut un sourire narquois :

— Le Mexique n'est pas un pays où la gent féminine a une grande importance. Ici, c'est le mâle qui compte. Les femmes n'ont encore que le droit de se taire et d'obéir, ajouta-t-il, taquin.

— Charmant pays ! Mais je ne comprends pas bien les prénoms des petites, reprit Annie. Je ne parviens pas à les distinguer, il me semble qu'ils sont à peu près les mêmes pour toutes.

— En effet, ce sont presque les mêmes. La Reine du Mexique, c'est Guadalupe, la Vierge indienne qui accorde sa sainte protection aux filles qui portent son nom. On les appelle donc toutes : Guadalupe, Lupe, Lupita, Lupina, etc.

— Cela doit créer bien des confusions.

Tout intéressait Annie. Elle était enchantée de cette halte imprévue dans cet humble village, qui lui permettait de se mêler pendant quelques heures à la vraie vie de l'habitant, expérience irremplaçable qu'aucune agence de voyages n'est à même d'offrir à ses touristes.

Elle appréciait d'avoir à ses côtés un compagnon attentif et patient comme François Monceau. Il répondait avec bonne grâce aux questions qu'elle lui posait, lui faisant découvrir, grâce à ses explications, tout ce qu'elle ignorait de ce pays et de ses mœurs. Jamais il ne s'impatientait de ses interrogations ou ne prenait le ton pédant de celui qui sait mieux que les autres.

Le repas terminé, les enfants étaient venus se poster devant Annie et chuchotaient à voix basse, en regardant la jeune fille. L'aînée des gamines, après avoir beaucoup hésité, s'enhardit jusqu'à s'approcher. D'un geste gauche, elle caressa les cheveux d'Annie en répétant plusieurs fois les mêmes mots, d'un ton admiratif.

— Que veut-elle? interrogea Annie.

— Elle admire vos cheveux blonds et vos yeux bleus, répondit François. Elle dit qu'elle aimerait beaucoup, elle aussi, être blonde.

Annie voulut embrasser la fillette. Mais l'enfant timide courut se réfugier auprès de sa mère.

A son tour, le paysan fit une remarque, qui fit rire François. Intriguée, Annie lui demanda de traduire ce qui venait d'être dit.

— Il est d'avis que lorsqu'on a une belle peau blanche comme la vôtre, c'est un péché de se mettre au soleil pour la faire brunir.

Le regard du paysan posé sur la jeune fille exprimait toute son admiration. François Monceau le rappela à la réalité. Il était désireux de regagner Mexico au plus vite et demandait si l'on pouvait trouver une voiture dans le village.

Il y en avait une, et même un chauffeur, qui serait

certainement très disposé à conduire le señor et la señorita, expliqua le paysan.

Il s'apprêtait à sortir.

— Momento, dit-il.

François Monceau bondit.

— Momentito, rectifia-t-il.

Et il leva la main, en tenant le pouce écarté de l'index de quelques millimètres.

Annie avait suivi ce dialogue sans comprendre.

— Il y a donc une si grande différence entre «momento» et «momentito»? demanda-t-elle, amusée des mimiques des deux interlocuteurs.

— Ô combien! dit François. Momentito signifie un quart d'heure ou une heure. Mais si quelqu'un vous demande d'attendre un «momento», il reviendra peut-être huit jours plus tard. La notion du temps varie selon la latitude. Et, ici, on n'est pas pressé.

Après une attente assez longue, le taxi arriva. C'était plutôt une guimbarde assez délabrée, qui semblait fonctionner par miracle ou par habitude.

Annie et François prirent congé du paysan et de sa famille. Le romancier mit un billet dans la main de l'homme et distribua des pesos aux enfants. Avec beaucoup de dignité, le paysan voulut rendre le billet, semblant protester et dire que c'était trop.

D'un geste amical, François Monceau lui remit la coupure dans la main et dit quelque chose en désignant la femme et les enfants. Cette fois, l'homme céda et accepta le billet avec force remerciements.

Dans un vacarme de pétarades, le taxi démarra. Le paysan et sa famille, groupés devant leur maison, firent des signes d'amitié jusqu'au moment où la voiture disparut au tournant de la route.

Annie et François, assis au fond du taxi, restaient silencieux. La jeune fille s'efforçait de ne plus penser à sa déception du matin. Elle regardait le paysage, les teintes ocres de la terre, les champs de maïs, les troupeaux de bœufs paissant l'herbe rare. Des églises surgissaient brusquement au détour du chemin, comme si elles s'élevaient du néant. Et partout des cactus, parfois si hauts que, dressés dans la campagne, ils ressemblaient à de gigantesques candélabres.

La chaleur commençait à se faire sentir. Bercée par le cahotement de la voiture, Annie éprouvait une invincible envie de dormir. Ses paupières devenaient lourdes. Elle ferma les yeux.

Elle dormait profondément, comme seuls savent dormir les êtres très jeunes, dans une pose abandonnée, telle que le sommeil l'avait saisie, la joue appuyée sur son bras à demi-replié, la tête inclinée. Ses cheveux blonds étaient épandus sur les coussins, ses longs cils noirs projetaient une ombre sur sa joue. Un souffle léger soulevait sa poitrine à intervalles réguliers.

François Monceau ne pouvait détacher ses yeux de la jeune fille. En cet instant, elle était l'image même de la jeunesse triomphante et de la beauté.

«Il y a de par le monde d'innombrables jolies filles, pensait le romancier. Pourquoi celle-ci a-t-elle quelque chose de plus touchant que les autres? Pourquoi suis-je ému quand je la regarde? Cette nuit, quand je l'ai sortie de l'eau, malgré ses cheveux qui pendaient lamentablement et son visage blême, elle m'attirait bien davantage que les beautés sophistiquées que l'on rencontre dans les salons parisiens. N'est-elle qu'une apparence séduisante faite pour troubler le cœur des hommes? Et suis-je encore si vulnérable que la vue et l'approche de cette jeune fille parviennent à m'émouvoir autant? Pouvoir tout recommencer, pouvoir aimer à nouveau, trouver le bonheur dans l'amour. Quel rêve ! Ou quelle chimère ! »

Des souvenirs se levaient dans sa mémoire. Un pli désabusé apparaissait au coin de ses lèvres.

Il tourna résolument la tête vers l'extérieur, s'efforçant de s'intéresser au site.

Un bruit sec le tira de sa rêverie. La voiture s'arrêta brusquement, eut quelques sursauts qui la firent progresser par petits bonds, puis s'immobilisa.

Le chauffeur lâcha une kyrielle de jurons sonores et descendit précipitamment. Il souleva le capot et se pencha, la mine perplexe.

François Monceau descendit à son tour de voiture et s'enquit de ce qui se passait. Le chauffeur eut un geste qu'il voulait rassurant, mais il refusa catégoriquement l'aide que François voulait lui apporter.

Pendant un bon quart d'heure, il trifouilla dans son moteur, sans succès apparent. François le vit avec inquiétude sortir de sa poche un bout de fil de fer et s'en servir pour entreprendre une réparation précaire.

— Que se passe-t-il ? interrogea Annie, qui s'était réveillée.

— Nous sommes en panne et je me demande si nous réussirons à regagner Mexico ce soir, dit François. J'en doute si j'en juge par l'aspect de la mécanique.

Le chauffeur était revenu à son volant et mettait le contact ; il poussa un rugissement de jubilation. Le moteur ronflait à nouveau ! Tout allait bien, on pouvait repartir.

Incrédule, François remonta dans la voiture et le chauffeur tenta de démarrer avec de grandes précautions. Au profond étonnement des deux passagers, il y réussit. La voiture roulait.

Il n'y eut plus de panne jusqu'à Mexico.

*
**

Lorsque Annie et François arrivèrent à l'Hôtel Maria Isabel Sheraton, ils offraient un aspect pour le moins surprenant. Leurs vêtements défraîchis et fripés, la barbe naissante de François, qui ne s'était pas rasé depuis deux jours, détonnaient dans ce cadre élégant. Amusés de cette situation insolite, ils traversèrent le vaste hall, suivis de regards étonnés, et se hâtèrent vers les ascenseurs pour regagner leurs appartements.

— Je ne voudrais pas vous vexer, remarqua François, mais nous avons l'air de deux clochards. Visiblement, nous choquons les hôtes distingués de ce palace.

— Je l'ai lu dans les yeux des dames pomponnées que nous avons croisées, conclut Annie en riant. Le mieux que nous ayons à faire est de reprendre au plus vite un aspect civilisé.

Au moment de se séparer, François retint la main d'Annie dans la sienne.

— J'espère que, malgré tout, vous ne gardez pas un trop mauvais souvenir de notre excursion à Cuernavaca ? demanda-t-il.

Annie ne répondit pas tout de suite. Une ombre assombrit le bleu de ses yeux.

— Non, finit-elle par dire. C'est même un moment de mon existence que je ne regretterai jamais d'avoir vécu.

XII

— NOTRE séjour à Mexico va bientôt toucher à sa fin, annonça François Monceau. Je suis très satisfait. Nous avons rattrapé le retard causé par la maladie de M. Dauphin et nous avons fait de l'excellente besogne.

Le romancier était à sa table de travail dans le salon de sa suite à l'Hôtel Maria Isabel Sheraton. Assise en face de lui, Annie compulsait des fiches.

— A propos, j'ai eu de bonnes nouvelles de M. Dauphin. Il m'a téléphoné ce matin. Il est toujours à Cocoyoc, où il se repose. Après son séjour à l'hôpital, son état lui interdisant de regagner la France, les médecins lui ont conseillé ce lieu de villégiature au climat idéal. Toute l'année, la température oscille entre 26 et 32°, sans aucune humidité. C'est l'éternel printemps.

— Est-ce loin ?

— Pas du tout. C'est à 75 kilomètres de Mexico. J'ai promis à M. Dauphin que nous irions le voir. Il habite dans une hacienda transformée en hôtel. Il a insisté pour que je lui rende visite.

Il prit une cigarette dans un étui d'argent guilloché, posé sur une console.

— Maintenant, au travail, dit-il. Nous allons récapituler notre récit, qui est le sujet de mon livre. Tout d'abord, notre héros, l'empereur du Mexique, Maximilien de Habsbourg.

Il s'interrompit pour allumer sa cigarette.

— On dirait vraiment, reprit-il, que cette dynastie des Habsbourg n'a existé que pour fournir aux historiens et aux romanciers de sombres drames et des personnages hors du commun. Avec eux, on n'a que l'embarras du choix. Et encore, aucun historien ni aucun romancier n'aurait osé inventer de pareilles histoires ou n'aurait eu assez d'imagination pour le faire.

— Vous écrivez, n'est-ce pas ? demanda-t-il à Annie.

— Oui, répondit la jeune fille.

— Donc, ce jeune archiduc, Maximilien, naît à la Cour d'Autriche au mois de juillet 1832. Malheureusement pour lui, il était le second fils. Ses parents avaient déjà un garçon, né en 1830, le futur empereur d'Autriche, François-Joseph.

François s'adressa de nouveau à la jeune fille :

— Si je vais trop vite, vous m'arrêterez.

Il continua :

— A l'âge de 18 ans, l'aîné, François-Joseph, monte sur le trône. Quelques années passent. Et, comme tout monarque doit avoir un héritier, on songe à le marier. On commence à recenser les candidates possibles.

François Monceau tira une bouffée de sa cigarette.

— Mais rien ne se passa comme prévu. Il arriva à François-Joseph une chose aussi surprenante qu'inaccoutumée pour un empereur : il fit un mariage d'amour.

Le ton avec lequel François avait dit ces mots fit lever la tête à Annie.

— Parmi nombre de postulantes, on avait pressenti une cousine, Hélène de Bavière, princesse falote et un peu molle. Elle ne séduisit pas le jeune empereur. Mais il eut le coup de foudre pour la petite sœur d'Hélène, une adolescente aux jupes de fillette, aux cheveux tombant sur les épaules et qui n'avait pas encore fini de grandir.

Le romancier s'était levé et marchait de long en large dans la pièce.

— La petite sœur s'appelait Élisabeth mais on la surnommait Sissi.

Annie notait soigneusement ce que disait François Monceau.

— Ce choix ne plut pas du tout à la mère de François-Joseph, l'archiduchesse Sophie.

François Monceau s'interrompit.

— Il faut absolument que je consacre un chapitre à l'archiduchesse Sophie. C'est un personnage extrêmement curieux. On pourrait tracer d'elle deux portraits dissemblables et même contradictoires. Cette archiduchesse Sophie était la mère de François-Joseph et aussi de Maximilien. Dans sa jeunesse, et bien que mariée à un archiduc autrichien, elle avait été la confidente, la consolatrice, la tendre amie du duc de Reichstadt, c'est-à-dire l'Aiglon. On le disait fort épris de cette archiduchesse rieuse et douce. Mais, avec les années, elle s'était transformée en une femme sèche, austère, bigote et mère abusive.

— Connaît-on les raisons de cette transformation étonnante ? questionna Annie.

— Pas exactement. Peut-être est-elle due à l'influence de l'atmosphère lourde et sévère de l'étouffante Cour d'Autriche.

Il reprit son récit.

— Donc, tempête familiale. Hélène, dédaignée, pleure. L'archiduchesse Sophie veut s'opposer à la décision de son fils : elle trouve Sissi trop jeune, trop indépendante. François-Joseph menace de passer outre et d'imposer sa volonté. Finalement, tout s'arrange. Et Sissi devient par son mariage l'impératrice Élisabeth d'Autriche.

François Monceau marqua un temps.

— En 1858, un fils naît de cette union. On baptise l'enfant Rodolphe, il devient à son tour le prince héritier.

Annie écoutait avec autant d'attention que si l'histoire avait été complètement nouvelle pour elle. L'intérêt qu'elle prenait à entendre François faire ce récit n'était pas uniquement d'ordre professionnel.

Le romancier poursuivit :

— Cet événement est d'une importance capitale pour notre héros, Maximilien. En effet, à partir de ce moment, il n'a plus aucune chance de monter sur le trône d'Autriche. Ce qu'il ne savait pas, ce que personne ne pouvait prévoir, c'est que Rodolphe non plus ne monterait jamais sur le trône.

François Monceau parlait comme pour lui-même.

— Un jour, comme son père, comme beaucoup d'autres hommes, Rodolphe deviendra fou d'amour pour une femme. Mais lui, ne pourra pas l'épouser. Il est déjà marié, elle est roturière. Tout les sépare. Cette fille jeune et belle s'appelle Marie Vetsera. Ils se suicideront tous les deux à Mayerling.

Quelques instants, François Monceau regarda par la fenêtre le parc fleuri de l'hôtel. Il reprit.

— L'archiduc Maximilien avait fait, lui aussi, un heureux mariage. Il était tombé amoureux de la princesse Charlotte, fille du roi des Belges et petite-fille du roi Louis-Philippe, qu'il avait épousée. Mais cela ne lui suffisait pas. Il se morfondait de n'être qu'un archiduc parmi les autres.

Le téléphone sonna et François Monceau décrocha. Il répondit brièvement.

— Qu'on ne me passe plus de communications. J'ai beaucoup à faire et je ne veux pas être dérangé.

Il raccrocha.

— Où en étais-je ? demanda-t-il.

Il alluma une nouvelle cigarette.

— Ah, oui ! fit-il. Je reprends. Lorsque l'empereur des Français, Napoléon III, veut, pour des raisons politiques, placer un homme à lui sur le trône du Mexique, il pressent le jeune Maximilien. Tout d'abord, celui-ci hésite à se lancer dans l'aventure, mais sa femme, Charlotte, est autant, sinon plus ambitieuse que lui. Il se laisse convaincre, à la condition toutefois d'être appelé par le peuple. On l'assure que celui-ci l'a plébiscité. Alors, l'appétit de pouvoir des Habsbourg se réveille en lui. Il reste sourd à tous les conseils de prudence et à tous les avertissements. Il accepte. Il sera empereur !

Le romancier fit tomber la cendre de sa cigarette.

— Le philosophe a bien raison de dire que tout le malheur de l'homme vient d'une seule chose, ne pas savoir demeurer en paix dans son logis !

Annie le regarda.

— Demeurer en paix dans son logis ! Auriez-vous vraiment souhaité passer votre vie de façon aussi monotone ? se hasarda-t-elle à demander.

— Moi ? Jamais ! s'exclama François Monceau.

Tous deux éclatèrent de rire.

— Au début, tout alla bien, dit le romancier, revenant à son sujet. Maximilien et Charlotte étaient jeunes, amoureux, ambitieux. Ils croyaient avoir réalisé leurs espérances. Ils avaient beaucoup d'illusions.

Il interrompit sa marche et vint s'appuyer sur le

dossier du siège où Annie était assise. Il continua:

— Le nouvel empereur et sa femme ne se rendaient pas compte qu'un souverain étranger, précédé par une expédition militaire, avait peu de chance de gagner le cœur de la population. Pourtant, Maximilien prit son rôle très au sérieux, il tenta sincèrement d'être un bon souverain, malgré ses maladresses.

François Monceau s'enflammait, emporté par son sujet.

— Au début, il a quelques succès grâce à l'appui du corps expéditionnaire français, commandé par le général Bazaine, mais bientôt la situation se dégrade. Napoléon III veut se dégager du Mexique. Début janvier 1866, il informe Maximilien de sa décision de retirer ses troupes. C'est le commencement de la fin.

Le romancier avait repris sa marche à travers le salon.

— La pauvre Charlotte, qui attendait un enfant, entreprit un voyage afin d'essayer de convaincre Napoléon III et les souverains d'Europe. Elle savait combien le temps pressait. La population s'était soulevée. Les États-Unis, qui en avaient terminé avec la guerre de Sécession encourageaient les guerilleros et leur fournissaient des armes. La situation devenait intenable.

Annie imaginait cette femme, enceinte et désespérée, suppliant qu'on apportât de l'aide à son mari, allant en vain d'une cour à l'autre, allant même à Rome voir le pape, frappant à toutes les portes et se trouvant rejetée de partout.

— Tout cela eut une fin tragique, dit Annie.

— Oui. La révolution éclata. La pauvre Charlotte perdit la raison. Maximilien, bravement, resta à son poste jusqu'à la fin. Assiégé dans Queretaro, il fut pris. On le jugea. On le fusilla.

D'un geste de la main, François Monceau désigna un classeur.

— Vous trouverez là le dossier de son exécution. Je suis allé à Queretaro sur les lieux où Maximilien fut vaincu. Il mourut de façon très digne, le 19 juin 1867. Quant on vint le chercher, il regarda le ciel de juin, ce ciel qu'il contemplait pour la dernière fois : « Quel beau temps », murmura-t-il.

François Monceau se tut.

— Qu'est devenue Charlotte ? interrogea Annie.

— Elle n'a jamais recouvré la raison, même après la naissance de son enfant. Elle vécut jusqu'en 1927 et mourut très âgée, folle depuis plus d'un demi-siècle. Elle croyait que son mari vivait toujours.

Plus encore que le drame historique, c'était l'histoire d'amour qui passionnait la jeune fille. Bien qu'elle en connût déjà les grandes lignes, elle avait été captivée par la façon dont François l'avait racontée. Elle était sensible, plus qu'elle ne voulait se l'avouer, aux chaudes intonations qui mettaient en valeur les moindres nuances du récit.

— Et de cette histoire d'amour et de larmes, de ce rêve de conquête et de gloire, il ne reste rien aujourd'hui, remarqua-t-elle.

Le visage de François Monceau prit une expression railleuse.

— Mais si, affirma-t-il, mais si. Au Yucatan, on rencontre des Mexicaines qui n'ont pas toutes le type Maya. Certaines ont même les yeux bleus ou verts, ce qui est une rareté très prisée dans ce pays. On prétend qu'elles seraient partiellement d'origine française. Il faut vous dire que les légionnaires du général Bazaine avaient pour habitude de passer leurs permissions dans cette région. Ceci explique peut-être cela.

Il redevint sérieux.

— N'est-ce pas que c'est un beau sujet que j'ai choisi ? Il y a tout. L'ambition, la gloire, la guerre, les passions politiques, l'exotisme...

— Et l'amour ! ajouta Annie.

François ne répondit pas tout de suite. Il tenait dans ses longs doigts nerveux une cigarettes allumée qui se consumait lentement sans qu'il y prît garde.

— L'amour, aussi. Aucune histoire des hommes ne peut s'écrire sans l'amour. Tant mieux.

Il écrasa sa cigarette dans le cendrier d'un geste impatient.

— Ou tant pis.

XIII

CE matin-là, Annie dormit plus tard que d'habitude. François Monceau lui avait donné congé pour la journée. Après un déjeuner à l'ambassade de France, il devait se rendre à l'Alliance française pour y signer des livres.

Dès son réveil, la jeune fille sauta vivement au bas de son lit. Elle se sentait très en train et de fort bonne humeur, non pas seulement à cause de ces heures de liberté : ce qui l'enchantait encore davantage, c'était la perspective de la soirée. Il y avait dîner de gala ce soir à l'hôtel. François Monceau avait retenu une table pour lui et ses invités et il avait demandé à Annie de figurer parmi ses convives.

Annie ne fut pas longue à s'habiller. Elle mit la robe en shantung naturel, prêtée par son amie Marie-Lou, et chaussa de légères sandales à talons plats. Elle rassembla ses longs cheveux sur la nuque en une torsade et les maintint par un cordonnet de soie.

Ainsi prête, elle se mit en route, bien décidée à profiter au maximum de sa journée. Depuis son arrivée, elle voulait visiter les musées de Mexico, célèbres dans le monde entier.

Un chasseur de l'hôtel, en faction devant la porte, héla un taxi, et indiqua au chauffeur que sa cliente désirait se rendre à Chapultepec.

Le taxi, comme tous ceux de Mexico et sans doute du Mexique, était un véhicule fatigué. Le chauffeur démarra sec, non sans avoir fait auparavant un discret signe de croix. Près du pare-brise, sur un véritable petit autel décoré de fleurs en matière plastique, trônait une statuette de la Vierge.

C'est sans doute sur cette protection divine que comptait le chauffeur en se lançant à l'aveuglette dans la circulation. Annie retrouva la ronde folle des voitures qui se frôlent, se poursuivent, se bloquent, roulent à vive allure en un incessant gymkhana. «Dans ce pays, la seule alternative, pensa-t-elle, est d'être philosophe ou d'aller à pied.»

Le taxi longeait le Paseo de la Reforma et ses parterres de fleurs. Annie retrouva, de part et d'autre, la «zona rosa», le quartier des grands hôtels, des magasins élégants, des ambassades, où elle s'était déjà promenée. Elle revit les anciennes haciendas devenues résidences ou palais. Elle reconnut, juché sur un piton rocheux, le château rococo de Maximilien, aujourd'hui transformé en musée historique.

Enfin, le taxi et sa passagère atteignirent Chapultepec.

La réputation du Musée d'Anthropologie n'était pas usurpée. Annie y passa toute la matinée, sous la conduite d'un guide qui menait les visiteurs à travers les salles et commentait la visite.

La jeune fille admira les merveilles de l'art précolombien, à l'époque qui précéda la conquête du Mexique par les Espagnols. Elle s'intéressa vivement aux reconstitutions de la vie des Indiens contemporains.

La visite se termina par la grande salle des religions aztèques, où se dresse la statue de la déesse Coatlicue, mère du dieu suprême du soleil de midi. Une foule de touristes se pressait autour de cette statue haute de trois mètres, pesant douze tonnes. Les exclamations fusaient dans toutes les langues du monde. Et il y avait de quoi s'étonner en contemplant cette étrange statue. La déesse n'avait plus de visage, plus de forme, tant elle était envahie de serpents qui l'enserraient de toutes parts, jaillissant de son cou, de sa poitrine, entourant ses mains griffues. Sa jupe même était faite de serpents entrelacés.

— Cette statue a cinq siècles. Coatlicue est la déesse de la terre, mais aussi de la mort, expliquaient inlassablement les guides, tour à tour en espagnol, en français et en anglais.

Annie était impressionnée. Mais si elle admirait cette gigantesque statue, elle ne pouvait retenir un petit frisson de dégoût à la vue de toutes ces bêtes rampantes.

D'autres visiteurs attendaient pour entrer à leur tour dans la salle. Le flot des touristes se dirigea vers la sortie, Annie se joignit à eux.

Un peu lasse d'avoir tant marché, la jeune fille revint dans le patio central du musée et prit place sur un banc à l'ombre des eucalyptus.

Un homme était assis à quelque distance sur un autre banc. Annie n'y prit pas garde. Elle feuilletait le catalogue du musée pour y retrouver certains renseignements. Elle releva la tête quand elle entendit un bruit de pas. L'homme s'approchait.

— Bonjour, fit-il.

Avec stupeur, Annie reconnut Alain.

Elle s'attendait si peu à le voir là, à des milliers de

kilomètres de la France, qu'elle resta muette d'étonnement.

— Bonjour, répéta Alain. Je n'imaginais vraiment pas que je te rencontrerais ici. Comment vas-tu ?

Il parlait d'un ton dégagé, comme si de rien n'était. L'ancien tutoiement qu'instinctivement il avait repris choqua Annie.

— Je vais bien, répondit-elle. Et vous-même ?

Elle insista sur le « vous ».

— Très bien, merci.

Il était debout devant elle.

— Puis-je m'asseoir ? demanda-t-il en désignant la place à côté d'elle.

— Je vous en prie.

Il y eut un silence.

— Quelle heureuse surprise ! reprit Alain. Ainsi, vous êtes à Mexico ?

— Oui, pour mon travail.

— Et quel travail, s'il n'est pas indiscret de vous le demander ? J'ai su que vous aviez quitté les Laboratoires de la Source.

— En effet, je les ai quittés parce que je veux entreprendre des études de droit. C'est la raison pour laquelle j'ai accepté un poste de documentaliste, qui me laissera suffisamment de temps pour me permettre de suivre les cours à la Faculté.

— Et ce poste de documentaliste vous permet également de voyager ? C'est d'autant mieux que cela m'a donné le plaisir de vous rencontrer.

« Que lui importent tous ces détails ? » pensa Annie, agacée par les questions d'Alain.

— Je suis venue à Mexico presque par hasard. Je travaille pour le romancier François Monceau, dont le secrétaire est tombé malade.

— Ah! oui, François Monceau.

L'accent avec lequel Alain avait prononcé ces mots surprit désagréablement Annie.

— Vous le connaissez? demanda-t-elle.

— Qui ne le connaît pas? Tout au moins de réputation. Tant d'ailleurs pour sa réputation d'auteur que pour sa réputation de don Juan.

— Je ne m'occupe pas de sa vie privée. Je l'aide dans son travail et, croyez-moi, il travaille beaucoup.

Le ton que prenait la conversation lui déplaisait. Alain dut le sentir, car il changea de sujet.

— Tout à l'heure, quand je vous ai aperçue, j'hésitais à vous reconnaître. Je vous trouvais quelque chose de différent, vous paraissez plus décidée, plus femme aussi.

— J'ai grandi, j'ai vieilli.

— Vieilli, certainement pas. Si vous avez changé, c'est à votre avantage. Savez-vous que vous êtes très en beauté, très séduisante même?

Il posa la main sur celle d'Annie.

Elle retira la sienne. Ces compliments, qui l'auraient transportée de joie des mois plus tôt, la laissaient indifférente. Pire, elle jugeait déplacé qu'il osât lui faire la cour après ce qu'il y avait eu entre eux.

Elle préféra faire dévier la conversation et rappeler Alain au sens des réalités.

— Et vous? demanda-t-elle. Que faites-vous à Mexico? Êtes-vous seul ou en compagnie de votre épouse?

Alain marqua un temps.

— Je suis venu à Mexico pour assister à un congrès médical. Seul, dit-il brièvement. Ma femme est restée à Paris.

— Excusez-moi, fit Annie, mais maintenant je dois partir.

Elle se leva.

— Croyez bien que je suis ravie de vous avoir rencontré.

A dessein, elle employait, pour prendre congé, cette expression mondaine vide de sens.

— Attendez, ne partez pas encore, dit Alain. Pourquoi se quitter si vite ? J'ai ma journée libre, vous aussi, il me semble. Ne pourrions-nous pas déjeuner ensemble ?

— Je regrette, je ne suis pas libre.

— Nous aurions pu passer quelques heures agréables, comme deux amis contents de se retrouver. Êtes-vous si pressée de rentrer ?

— Oui, je suis pressée.

— Nous avons certainement beaucoup de choses à nous dire.

Annie le regarda bien en face.

— Ne croyez-vous pas que nous nous sommes tout dit ?

Alain haussa les épaules d'un geste évasif.

— Il ne faut pas vivre dans le passé, dit-il. Déjeuner ensemble ne ferait de tort à personne. A moins que vous ne soyez arrêtée par quelque raison sentimentale, je ne vois pas ce qui pourrait vous empêcher d'accepter mon invitation.

Annie ne répondit pas.

— Vous n'êtes pas obligée de me faire des confidences et je ne veux surtout pas être indiscret, reprit Alain. Mais quand on est une jolie fille et qu'on vit dans le sillage d'un séducteur comme l'est François Monceau, les histoires d'amour ne doivent pas manquer.

— Je vous l'ai déjà dit, je n'ai pas à juger François Monceau. Je travaille pour lui, ma tâche est très intéressante, le reste ne me regarde pas. Et j'ai horreur des racontars.

— Mais toute la ville en parle. Il n'est bruit dans la colonie française de Mexico que des conquêtes du beau François. Vous dites qu'il travaille beaucoup, le jour peut-être, mais le soir il se rattrape. On dit aussi qu'il est imprudent. Ici, nous ne sommes pas en France où un mari trompé est un personnage ridicule. François Monceau devrait prendre garde. Si son dernier flirt, la séduisante Mme Ramirez est française, le mari est mexicain. Et, dans ce pays, on ne badine pas avec l'honneur bafoué.

Annie ne voulait pas en entendre davantage.

— Au revoir, lança-t-elle.

— Vous ne voulez vraiment pas déjeuner avec moi ? Et cet après-midi ? Écoutez-moi, nous pourrions nous retrouver quelque part. Je serais si heureux de passer un moment avec vous.

— Inutile d'insister, je vous ai dit non.

— Je loge à l'Hôtel Continental. Si vous changez d'avis, envoyez-moi un message. Le congrès se termine à la fin de la semaine, mais je resterai sans doute quelques jours de plus. Pour faire un peu de tourisme.

« Alain m'est devenu tout à fait étranger, il ne dit que des choses que je juge profondément déplaisantes, il agit comme un véritable goujat, non seulement envers moi mais également envers sa femme, songea Annie. Qu'a-t-il il encore de commun avec le jeune homme dont j'ai été éprise autrefois ? Rien. Non seulement je ne l'aime plus, mais je le méprise. »

— Adieu, dit-elle tout haut.

— Au revoir. Peut-être à bientôt, répondit Alain.

C'est avec une sorte de rage qu'Annie se prépara

pour le dîner. Rentrée à son hôtel, elle avait essayé de se reposer et de faire la sieste, sans y parvenir. Elle se sentait mécontente d'elle-même et de tout. Plus elle s'efforçait de ne pas penser aux propos d'Alain et plus ils lui trottaient dans la tête. Pourquoi avait-il tant insisté sur les aventures de François Monceau? Il s'imaginait peut-être qu'elle était amoureuse du romancier? Sa maîtresse, pourquoi pas? Ou bien supposait-il qu'elle allait, par dépit, se jeter dans ses bras à lui, Alain?

«Qu'est-ce que cette idylle avec Mme Ramirez?» Sans doute des ragots circulant dans le petit monde des Français de Mexico, entretenus et amplifiés à mesure qu'ils se colportaient, et qu'Alain avait été trop heureux de lui rapporter.

«Qu'est-ce que cela peut me faire? se répétait Annie. Il n'a aucun compte à me rendre.»

Elle ne pouvait pourtant s'empêcher de se sentir mortifiée de ne s'être aperçue de rien. A mesure qu'elle y pensait, de menus faits lui revenaient en mémoire. Des appels téléphoniques brusquement suspendus quand elle entrait dans la pièce, ou bien des communications à mots couverts, des séances de travail subitement interrompues. François Monceau avait dû la croire bien stupide, aussi stupide que le Ramirez de mari.

Et, tout au fond d'elle-même, la même pensée revenait, lancinante:

«Je lui plais peut-être, mais il ne m'aime pas. Le baiser dans la forêt n'a été pour lui qu'un incident sans importance, l'impulsion du moment, qu'il a oubliée sitôt après. Tandis que moi, je ne peux l'oublier. Le plus sage est de donner ma démission dès notre retour à Paris, pour ne plus le voir, m'éloigner de lui pendant qu'il est encore temps.»

Lasse de retourner sans cesse les mêmes idées dans sa tête, Annie résolut de ne plus penser qu'à la fête du soir.

Elle prit tout d'abord un long bain. Allongée dans la baignoire de marbre, elle joua avec les bulles de mousse qui flottaient à la surface de l'eau. Une courte douche suivit ce bain. Puis, détendue et rafraîchie, elle s'enveloppa dans un mœlleux peignoir en éponge et commença à s'apprêter.

Assise devant sa table de toilette, elle se fit un maquillage léger. Son teint n'avait nul besoin du secours des cosmétiques. Elle posa une ombre bistre sur ses paupières pour exalter le bleu de ses yeux et souligna d'une touche de rouge la courbe juvénile de ses lèvres bien ourlées.

« Cela suffit, se dit-elle en se regardant dans le miroir. Maintenant, passons à la coiffure. »

Elle s'attarda un peu plus. Ayant relevé ses cheveux, elle les ramena en boucles sur le sommet de la tête, en prenant bien soin de dégager les tempes. Armée de longues épingles, elle fixa soigneusement chaque mèche. Quand elle eut terminé, elle s'estima contente du résultat. Cette couronne de boucles mettait en valeur la finesse de la tête et l'ovale du visage.

Pour s'habiller, elle dut se faire aider. Tout en agrafant la robe, la femme de chambre lançait des regards admiratifs à la jeune fille.

— Mademoiselle est belle... belle... répétait-elle.

— Gracias ! Vous êtes gentille, remercia Annie.

Quand la domestique fut sortie, Annie, debout devant la grande psyché ovale, s'observa d'un œil critique. Elle se reconnut à peine. Elle était devenue une autre femme. La longue robe du soir la faisait paraître encore plus grande et plus élancée. Le corsage, drapé à la grecque, moulait sa poitrine et soulignait la minceur de la taille. La teinte rose thé de la robe mettait en valeur le bronzage léger de sa peau et s'harmonisait avec l'or de sa chevelure. Ses ongles étaient simplement vernis du même ton que sa robe, tels des coquillages au bout de ses doigts fuselés. Les fines chaussures en chevreau, à hauts talons et barrettes entrelacées, faisaient valoir l'élégance de ses jambes.

Avant de quitter la chambre, Annie jeta un dernier coup d'œil dans le miroir. Elle se sourit. C'était une réussite. Elle ne déparerait pas la table de François Monceau.

XIV

LES invités de François Monceau devaient se retrouver dans un des petits salons de l'hôtel. La plupart étaient déjà arrivés et conversaient avec le romancier quand Annie fit son entrée. Elle s'avança, la tête haute, son cou mince dégagé par la coiffure, racée et très belle. A son approche, il y eut un silence et tous les yeux se posèrent sur elle. Regards admiratifs des hommes, regards inquisiteurs des femmes.

Bien qu'étant intimidée d'être ainsi le point de mire de l'assistance, Annie n'en laissa rien paraître. Sa réserve, la grâce avec laquelle elle se mouvait lui conférait un attrait supérieur à celui de la seule beauté. Et parmi toutes ces femmes au maquillage recherché et à la coiffure compliquée exécutés par des spécialistes, la simplicité de son maquillage et de sa coiffure avaient un charme naturel qui étonnait et séduisait.

Le regard de François Monceau posé sur elle traduisait éloquemment son approbation.

Mentalement, Annie envoya une pensée reconnaissante à Marie-Lou. C'était grâce à la gentillesse de son amie qu'elle portait ce soir une robe de grande classe.

Mais si elle avait choisi la robe verte, l'approbation de François Monceau aurait-elle été aussi vive ?

Quand les invités furent au complet, le romancier fit les présentations. Il y avait en tout huit personnes, dont deux écrivains sud-américains et des membres de l'Ambassade de France, ainsi qu'un couple assez disparate. Lui était un homme au teint basané, grand, massif, légèrement voûté. Il devait avoir la cinquantaine. Ce qui frappait, c'était son regard. Les yeux sombres étaient enfoncés sous des sourcils étonnamment épais. Une force brutale émanait de lui. Elle, au contraire, était une blonde pulpeuse, la trentaine épanouie, souriant beaucoup, la mine enjôleuse, l'œil câlin. Elle portait une robe beige pâle, très moulante. Tout en elle correspondait au type de femme qu'on appelle familièrement « une allumeuse ».

François Monceau les désigna par leur nom : Mme et M. Ramirez.

La grande salle à manger de l'hôtel, au plafond en ogive soutenu par des piliers en arcs de cercle, était pleine d'élégants convives. Tous les hommes étaient en smoking, les femmes en robe du soir.

Les larges baies vitrées donnaient sur le patio, éclairé par des projecteurs disséminés dans les buissons. Au fond de la salle à manger, un orchestre typique jouait en sourdine.

Sous la surveillance des maîtres d'hôtel, attentifs au moindre désir des clients, les nombreux serveurs, vêtus de blanc, se déplaçaient silencieusement, avec habileté, comme des danseurs qui auraient connu une chorégraphie indéchiffrable pour les profanes. Ils présentaient sur des plateaux d'argent des mets raffinés et exotiques.

Le dîner fut très gai. François Monceau avait soigneusement choisi ses invités. Les femmes étaient jolies, les hommes intéressants. L'attaché culturel de l'Ambassade de France était particulièrement brillant. Très en verve, il racontait des anecdotes amusantes, de petits potins qui, à travers le monde, couraient d'une ambassade à l'autre. Tout le monde riait en l'écoutant.

Mme Ramirez était assise à la droite du romancier. Pendant la plus grande partie du repas, elle ne cessa de lui poser des questions, se penchant légèrement pour mieux entendre ses réponses, ce qui faisait s'entrouvrir son profond décolleté. Elle ne semblait pas se soucier une seconde de son mari, qui, de son côté, ne lui prêtait aucune attention. Il parla peu, sauf quand la conversation prit un tour plus sérieux et roula sur les cours de l'étain. Alors, il s'anima et chacun put constater combien il avait la passion des affaires.

Après le dîner, François Monceau et ses invités quittèrent la salle à manger pour se rendre au night-club de l'hôtel. Là aussi, il y avait foule. La piste de danse était envahie par les couples serrés les uns contre les autres. Le groupe s'assit à la table qui lui était réservée ; on commanda des alcools et des rafraîchissements.

Mme Ramirez se plaça à côté de François Monceau, et bientôt tous deux se levèrent pour aller danser. Un des convives, un écrivain brésilien qui parlait en excellent français, invita Annie.

A la danse suivante, les couples changèrent. Seuls du groupe, M. Ramirez et un autre Mexicain ne dansaient pas. Ils continuaient, dans l'atmosphère du night-club, une conversation animée en espagnol, qui devait être une discussion d'affaires.

Au moment où Annie regagnait sa place, l'orchestre attaqua un blues. Quelqu'un barra le chemin de la jeune fille. C'était François Monceau, très élégant dans son smoking de grand faiseur. Il s'inclina, souriant :

— Puis-je vous inviter pour cette danse ? demanda-t-il.

— Volontiers.

Il l'enlaça et l'entraîna au rythme lent du blues. Il dansait avec une aisance surprenante. Annie suivait avec plaisir ce cavalier, dont les pas s'accordaient si parfaitement aux siens.

— Vous dansez très bien, dit François.

— Je ne fais que vous suivre, c'est facile.

Sous la banalité des propos échangés, ils cachaient tous deux une émotion qui les avait saisis dès qu'ils avaient commencé à danser ensemble. Annie aurait voulu que le blues n'eût pas de fin. Elle était si bien dans les bras de François, dont elle sentait la pression à la fois tendre et énergique.

Quand la danse fut finie, l'orchestre enchaîna avec un autre blues. François et Annie continuèrent à danser, d'accord sans avoir eu besoin de se consulter.

Puis il y eut une pause pour permettre aux musiciens de se rafraîchir. François raccompagna Annie à la table. La jeune fille se sentait triste, tout à coup, au milieu de la fête. Elle gardait la nostalgie de ce court moment où François l'avait tenue tout contre lui.

Tout au long de la soirée, Annie fut sans cesse invitée, mais elle n'eut plus l'occasion de danser avec François.

A un certain moment, elle ne le vit plus. Mme Ramirez manquait également. Les bavardages d'Alain étaient-ils fondés ? Que lui importait, après tout ? Elle s'était juré de ne plus y penser.

Il y avait de plus en plus de monde dans le night-club. Annie avait très chaud. Après avoir beaucoup dansé, elle éprouvait le besoin de respirer un peu d'air frais. Elle sortit discrètement et se dirigea vers le patio. Mais, là aussi, de nombreuses personnes consommaient autour de petites tables. Annie se dirigea vers le parc de l'hôtel.

Le parc était désert à cette heure. Seules les allées étaient éclairées. Annie gagna un banc un peu écarté pour être au calme. Au moment où elle s'en approchait, elle crut distinguer une silhouette qui disparut derrière un massif. Intriguée, elle s'arrêta.

C'était une silhouette masculine qu'elle avait aperçue. Que faisait dans le parc, en pleine nuit, un homme qui semblait se cacher ? Peut-être était-il un gangster ? Tout Mexico savait qu'il y avait gala ce soir-là au Maria Isabel Sheraton et nombre des femmes présentes, les Américaines surtout, arboraient des bijoux de grand prix : ce qu'il fallait pour attirer des gangsters en mal de hold-up. Annie n'était pas peureuse. Elle décida que le mieux était de rebrousser chemin et d'aller prévenir au plus vite la direction de l'hôtel.

A ce moment, l'homme reparut. Visiblement, il s'efforçait de se déplacer sans faire aucun bruit. Il y réussissait d'ailleurs, étant d'une agilité surprenante malgré sa corpulence. Il fit quelques pas et, pendant un court moment, il fut éclairé par un rai de lumière. Annie ne put réprimer un haut-le-corps. Elle avait reconnu. Cette silhouette haute, massive, un peu voûtée, c'était M. Ramirez. Pourquoi était-il là ? Que faisait-il derrière ce massif, se cachant comme un malfaiteur, un conspirateur ? Que poursuivait-il ? Ou qui ? Qui, sinon sa femme et François Monceau ?

Lui qui paraissait ne s'intéresser qu'aux chiffres, il avait donc observé que tous deux s'étaient éclipsés. Et, à son tour, il était sorti pour se mettre à leur recherche.

En prenant, elle aussi, les plus grandes précautions pour ne pas être vue ou entendue, Annie s'écarta du chemin de M. Ramirez. Mais où aller ? Comment prévenir François Monceau du danger qui le menaçait ?

Elle sentait l'affolement la gagner. Elle se souvenait de tout ce qu'elle avait appris ou entendu sur les mœurs du Mexique. Le revolver fait partie des droits du citoyen dans un pays où la Constitution l'autorise à « porter les armes nécessaires à sa défense ». Les hommes ont dans leur poche un revolver comme, en d'autres lieux, ils auraient un briquet. Et cette diffusion des armes à feu, jointe au tempérament des Mexicains, était la cause de drames si nombreux qu'ils étaient devenus monnaie courante. Devant l'étrange attitude de M. Ramirez, Annie ne pouvait douter qu'il eût lui aussi un revolver dans sa poche.

M. Ramirez obliqua sur sa droite, en direction de la roseraie. Annie, au contraire, prit de l'autre côté. Une idée lui était venue. Il y avait derrière la piscine une petite hutte recouverte d'un toit de chaume, qui servait surtout à ranger les jouets et les bouées des enfants. Qui pourrait s'y rendre à cette heure tardive, sinon une femme qui donne un rendez-vous et souhaite ne pas être découverte ?

Annie n'avait que le temps d'y aller. Si elle ne se trompait pas, elle y trouverait François Monceau et Mme Ramirez. Si elle s'était trompée, alors peut-être M. Ramirez aurait-il déjà rencontré le couple...

Dans sa hâte, la jeune fille coupa à travers les buissons. Elle trébuchait, gênée par sa longue robe et ses hauts talons qui s'enfonçaient dans la terre ; des branches d'épineux accrochaient le tissu de sa robe.

Enfin, elle parvint à la hutte. Un bruit de voix lui confirma la justesse de son pressentiment. C'était François Monceau qui parlait, il semblait être irrité.

— Soyez raisonnable, disait-il. Il est de la dernière imprudence de rester ici plus longtemps. Notre absence va se remarquer. Vous n'auriez jamais dû me fixer ce rendez-vous et je ne suis venu que pour vous calmer. Ne jouez pas les enfants gâtées...

— François, protestait Mme Ramirez, nous nous sommes à peine vus ces derniers jours et je suis si triste quand je ne vous vois pas...

Ce fut à ce moment qu'Annie fit irruption dans la hutte. Devant cette arrivée en trombe, François Monceau eut un geste d'agacement et fronça les sourcils, mécontent. Mais Annie ne lui laissa pas le temps de protester.

D'un geste de la main, elle désigna la profondeur du parc et dit dans un souffle :

— M. Ramirez !

Mme Ramirez poussa un cri d'effroi et se précipita dehors. Elle allait s'engager sur le chemin qui menait de la roseraie à la hutte. Annie la rattrapa par le bras et, en silence, lui indiqua l'autre direction.

La peur donnait des ailes à Mme Ramirez qui, oubliant ses airs langoureux, se précipita et disparut dans la nuit.

La suite fut si rapide qu'elle se déroula avec un enchaînement implacable. Soit que M. Ramirez, après une vaine recherche, eût pensé à cet endroit, soit qu'il eût entendu du bruit, il arriva à la hutte quelques instants après le départ de sa femme. Il s'arrêta sur le seuil, guettant ses proies. Il entrevit dans la pénombre un homme et une femme blonde vêtue d'une robe claire.

François Monceau s'avança. Annie, qui était aux aguets, remarqua que Ramirez tenait son bras droit tendu le long de son corps. Quand elle vit l'homme relever brusquement l'avant-bras, d'un geste sec, elle comprit qu'il allait tirer. Alors, sans prendre le temps de réfléchir, mue par une impulsion irrépressible, elle se précipita. Elle bouscula si fort François Monceau que celui-ci, surpris, perdit l'équilibre et se rejeta en arrière. Ce recul l'écarta de la trajectoire de la balle.

Annie entendit une seconde détonation. Elle sentit une douleur fugace à l'épaule gauche, comme si elle avait reçu un coup de fouet.

— Annie! cria François Monceau.

Ramirez eut un sursaut en entendant ce nom. Il semblait ne pas comprendre. Il restait là, stupide, le revolver à la main.

— Aidez-moi, dit François Monceau. Vous voyez bien qu'elle est blessée.

— Mais non, je ne suis pas blessée, murmura Annie, je ne souffre pas.

François Monceau la soutint pour l'aider à sortir de la hutte. Elle éprouvait tout à coup une grande fatigue. Quelque chose de chaud coulait le long de son corsage. Le romancier et Ramirez se tenaient à ses côtés, la mine anxieuse.

« Tout s'est bien passé, pensa Annie. Le seul ennui est que j'aie abîmé ma robe. »

Brusquement, le sol se déroba sous ses pas et elle sentit qu'elle perdait connaissance.

Le premier moment de stupeur passé, il fallut aviser.

Tandis que François Monceau restait auprès d'Annie, inanimée sur la pelouse, M. Ramirez se dirigea vers l'hôtel pour chercher du secours.

Dans le patio, il rencontra l'attaché culturel de l'Ambassade de France qui bavardait en compagnie de membres de l'Ambassade d'Italie. Ramirez fit un signe discret au diplomate français, qui s'excusa auprès de ses amis et s'approcha du Mexicain.

Lorsque celui-ci, en courtes phrases hachées, lui eut expliqué qu'un «accident» était arrivé dans le parc à Annie et que François Monceau était près d'elle, le diplomate ne posa nulle question. Une expression inquiète se peignit sur son visage.

— Avant tout, il faut voir le directeur de l'hôtel, dit-il simplement.

Les deux hommes traversèrent les grands salons et arrivèrent devant une porte en bois sculpté. Un valet de pied se précipita.

— Que désirez-vous ? demanda-t-il.

Ce fut l'attaché qui répondit.

— Nous voulons voir le directeur. Tout de suite.

— M. le Directeur est dans son bureau, mais je ne sais pas s'il pourra vous recevoir.

— C'est urgent. Faites-lui passer ma carte, je vous prie.

Le diplomate sortit de son portefeuille une carte de visite sur laquelle il écrivit quelques mots. Il la tendit au valet de pied, qui alla frapper à la porte directoriale.

Au bout de quelques instants, le valet de pied reparut. Il maintint ouverte la porte du bureau et fit entrer l'attaché culturel et M. Ramirez.

A leur entrée, le directeur de l'hôtel se leva et leur désigna des sièges en cuir et tubes d'acier, assortis aux meubles design, qui garnissaient la pièce.

Le directeur tenait à la main le bristol qu'on venait de lui remettre. Sans préambule, il questionna :

— Ces quelques mots sont bien énigmatiques. De quoi s'agit-il ? En quoi puis-je vous aider ?

Après un bref regard échangé entre Ramirez et le diplomate, ce dernier prit la parole.

A mots couverts, il parla du drame, en donnant le moins de détails possible. La situation était grave : il fallait faire transporter au plus vite la jeune fille dans une clinique, avec le maximum de discrétion. Avant tout, la présence d'un médecin était indispensable pour donner les premiers secours d'urgence, car la blessée perdait beaucoup de sang.

Le directeur était un homme jeune et décidé. Il ne posa, lui non plus, aucune question, et ne se jugea pas obligé de pousser des exclamations superflues.

— Nous avons ici tout ce qui est utile pour les premiers soins et une infirmière est attachée à l'hôtel en permanence, dit-il. Je vais faire appeler un médecin.

Il décrocha son téléphone et donna des ordres laconiques et précis. Il semblait très calme, mais un pli profond barrait son front, trahissant son souci.

— Le mieux est d'y aller, conclut-il, en reposant le récepteur.

Avant de quitter le bureau, le diplomate remarqua :

— Bien entendu, vous êtes absolument sûr de la discrétion de l'infirmière, ainsi que du personnel ? Si ce malheureux accident venait à s'ébruiter, ce serait tout à fait fâcheux... vraiment regrettable... M. Ramirez est un des hommes d'affaires les plus en vue du Mexique et il serait également déplorable qu'un romancier français, très connu, en voyage à l'étranger, se voie compromis dans ce qui pourrait devenir un scandale...

— Soyez sans crainte, répondit le directeur, vous pouvez vous fier à moi. Rien ne transpirera de ce qui s'est passé ce soir.

Il fut décidé que, pour ne pas attirer l'attention, le diplomate et M. Ramirez iraient devant ; le directeur suivrait à petite distance. L'infirmière prévenue se rendrait directement à la hutte, près de la piscine.

M. Ramirez et l'attaché retraversèrent les salons, d'un pas tranquille. Au passage, ils saluaient les personnes de connaissance, comme si de rien n'était. Au milieu de la foule encore dense, ils croisèrent quelques messieurs qui se dirigeaient vers le bar.

— Bonsoir, cher ami, fit l'un d'eux en s'adressant au diplomate.

Celui-ci s'arrêta surpris. Perdu dans ses pensées, il n'avait par reconnu son interlocuteur.

Il s'excusa :

— Pardon, je ne vous avais pas vu. Ravi de vous rencontrer.

— Voulez-vous venir avec nous au bar ? Je suis avec des confrères, vous devez certainement les connaître. Nous faisons un tour au Sheraton à cause du gala.

L'attaché culturel eut une seconde d'hésitation, puis il se décida. Baissant la voix, il dit rapidement :

— Il m'est impossible d'accepter votre invitation, et je suis désolé de troubler vos instants de détente, mais vous êtes médecin et vous êtes français. C'est pourquoi je fais appel à vous. Pouvez-vous nous accompagner ? ajouta-t-il en désignant Ramirez qui se tenait un peu à l'écart. Il s'agit d'un cas d'urgence. Quelqu'un a été blessé.

Le médecin répondit sans hésitation :

— Bien entendu, je vous suis.

Il eut l'air étonné quand, après avoir traversé le patio, tous trois s'enfoncèrent dans la profondeur du parc, mais il garda pour lui ses réflexions.

Annie était toujours étendue sans connaissance

quand le trio arriva sur les lieux, bientôt suivi par le directeur.

François Monceau, agenouillé auprès de la jeune fille, tenait son mouchoir fortement appliqué sur la blessure, pour la comprimer et stopper ainsi l'hémorragie. Afin qu'Annie ne prenne pas froid, il l'avait recouverte de sa veste de smoking.

A l'approche des arrivants, le romancier éprouva un soulagement d'autant plus vif que son anxiété avait été plus grande. Ses traits tirés dénonçaient l'angoisse qui l'avait tenaillé en voyant sourdre le sang de la plaie à travers le linge. Il lui avait semblé que l'attente était sans fin, qu'elle avait duré une éternité.

L'attaché culturel présenta le médecin de façon laconique.

— Le docteur Alain Cordier, l'assistant du professeur Blanchet, de passage à Mexico où il assiste à un congrès médical. Il a bien voulu se joindre à nous.

Alain se pencha vers la blessée et, à son immense stupéfaction, il reconnut Annie. Il ne comprenait plus. Dès les premiers mots de l'attaché, et en voyant Ramirez à ses côtés, il avait deviné ce qui s'était passé, mais il croyait que la victime était Mme Ramirez. Il releva la tête et vit François Monceau, pâle comme un linge, et Ramirez, l'air sombre et accablé.

Il n'y avait pas de temps à perdre. Alain se mit en devoir de faire un examen rapide de la blessure.

L'infirmière, qui était arrivée, elle aussi, avec un matériel de première urgence, était efficace et expérimentée. Elle aida Alain qui, après avoir pansé Annie, lui fit une piqûre pour la soutenir.

Il fut décidé que la jeune fille serait transportée dans une clinique sûre et qu'on la sortirait par une porte dérobée située au fond du parc, pour ne pas éveiller de curiosité inopportune. L'infirmière avait organisé le transport, et deux ambulanciers, rapides et silencieux, apparurent bientôt. Alain veilla à l'installation de la blessée sur le brancard et se proposa pour l'accompagner à la clinique et parler au chirurgien.

Le cortège se mit en route. Alain et François marchaient de chaque côté du brancard. Le directeur suivait avec l'infirmière.

On hissa la blessée dans l'ambulance. Alain et François y prirent également place. La voiture démarra immédiatement dans un hurlement de sirène.

Ramirez et l'attaché culturel revinrent au night-club. Ils présentèrent aux invités de François Monceau ses excuses, expliquant que le romancier avait été obligé de regagner, de façon imprévue, ses appartements pour un appel téléphonique extrêmement important.

Sur la piste, à présent presque déserte, Mme Ramirez dansait. Elle semblait être distraite et ne prêter que peu d'attention aux fadaises que lui débitait son cavalier.

Quand elle vit revenir son mari, elle ne put réprimer un frémissement d'angoisse. Elle aurait tant voulu savoir ce qui s'était passé après sa fuite. Son mari ne l'avait pas vue, elle en était sûre, sinon il l'aurait poursuivie. Mais pourquoi était-il resté si longtemps absent ? Et où étaient donc passés François et Annie ?

La jeune femme n'osait pas aller vers son mari et encore moins le questionner. De loin, elle le chercha des yeux, prête à lui sourire. Mais Ramirez n'eut pas un regard pour elle.

Il alla s'asseoir à côté de l'attaché culturel et tous deux commandèrent des doubles whiskies.

XV

Le brouillard était blanc et épais. Pourquoi y avait-il du brouillard dans une chambre d'hôtel ? C'était peut-être à cause de la montagne proche. Annie ne parvenait plus à se rappeler si la fenêtre était ouverte. L'odeur aussi était gênante. Cela sentait l'hôpital. Décidément, l'hôtel était mal tenu. Annie ne pouvait ouvrir les yeux. Elle s'étonnait de sentir son corps si lourd, elle avait mal partout. Surtout au côté gauche. Il semblait meurtri. Elle fit un effort désespéré pour lever le bras.

— Ne bougez pas, fit une voix, restez tranquille.

— Mon bras, gémit Annie, mon bras... Qu'est-ce qu'il a ?

— Il n'a rien.

Annie voulut essayer de le remuer, mais elle ressentit une violente douleur à l'épaule gauche, qui lui arracha un gémissement.

— Ne bougez pas ! répétait la voix.

Quel était l'homme qui parlait ? Le brouillard commençait à se dissiper et Annie distingua deux fantômes en blouse blanche qui s'agitaient. Au-dessus d'elle, il y avait une lumière qui la gênait.

— Elle est réveillée maintenant, observa une femme.

— Laissons-la encore sur la table, répondit l'homme. Surveillez-la, il ne faut pas qu'elle s'agite.

Ils parlaient d'elle, pensa Annie, comme on parle d'un tout petit enfant ou d'un animal.

L'homme lui prit le poignet et, l'œil fixé sur sa montre, il compta les pulsations.

— Qui êtes-vous ? demanda le jeune fille.

— Le docteur Juarez, chirurgien. Après votre accident, vous avez été transportée dans ma clinique.

Annie essaya de se rappeler.

— Mon accident ? Quel accident ?

— Rien de grave, mais vous parlez trop. Reposez-vous.

Peu à peu, tout devenait plus net autour d'elle. On l'avait emmaillotée dans une couverture de laine blanche et elle gisait sous l'aveuglante lumière de l'énorme réflecteur qui éclairait la table d'opération. Son bras droit était relié, par un long tuyau, à un flacon de verre accroché à un support en métal. De ce flacon, s'écoulait goutte à goutte un liquide incolore. Annie discernait un épais pansement autour de son épaule gauche et de son buste.

« On m'a opérée, se dit-elle. Mais pourquoi ? »

Elle ne se souvenait de rien. Les efforts qu'elle faisait pour tenter de rassembler ses idées la fatiguaient. Elle se sentait très lasse, mais une douleur lancinante lui taraudait l'épaule et l'empêchait de se rendormir.

— J'ai mal, se plaignit-elle.

— On va vous faire une piqûre.

Annie perçut qu'on écartait la couverture et qu'on lui enfonçait une aiguille dans le haut de la cuisse.

Quelqu'un entrait dans la salle d'opération et s'approchait de la table.

— Ça va maintenant ?

C'était Alain! Lui aussi avait revêtu une blouse blanche.

« Que fait-il là ? Je dois rêver. Je l'ai quitté au Musée ce matin », pensait Annie..

— Son pouls est bon, dit le chirurgien. On va pouvoir la ramener dans sa chambre.

Annie sentit qu'on la soulevait avec précaution et qu'on la déposait sur un brancard. Elle entendit un bruit de porte qu'on ouvre, de glissement de roues caoutchoutées sur le carrelage. Une infirmière portait le flacon de sérum, toujours relié au bras de la blessée par le long tuyau.

Le brancard fut roulé dans un couloir. On prit un ascenseur et on arriva dans une chambre.

Avec ménagement, deux infirmiers transportèrent la jeune fille dans son lit, où on l'installa.

— Comment est-elle ?

Cette question avait été posée par une voix grave, au timbre assourdi par l'anxiété.

— Qu'en pensez-vous, docteur ?

— L'opération a réussi. Demain, je serai en mesure de faire un pronostic plus précis.

— Vous la sauverez, n'est-ce pas ?

Le docteur Juarez dit quelque chose qu'Annie n'entendit pas.

Elle fit un immense effort pour ouvrir les yeux. Debout, près de son lit, se tenait François Monceau. Il avait le teint blême, les yeux marqués de cernes profonds, les cheveux en désordre, la cravate défaite.

Il regardait avec une expression angoissée la jeune fille qui paraissait si fragile, si désarmée. Il voyait cet émouvant visage, aux yeux dilatés par la souffrance, ce visage rendu plus pâle encore par toute la blancheur de cette chambre de clinique.

— Annie, commença-t-il, Annie...

Il y avait toute la tendresse du monde dans cet appel.

— Vous la fatiguez, dit le docteur Juarez, ne la faites pas parler.

Annie aurait tant voulu répondre à l'élan de François, lui parler, le rassurer, mais l'effet des barbituriques commençait à se manifester et elle ne parvint pas à articuler un seul mot.

Désespérément, elle tenta de rester éveillée, malgré l'invincible besoin de sommeil qui s'était emparé d'elle. Ce fut en vain. Bientôt ses longs cils battirent, ses paupières s'abaissèrent et elle sombra dans le néant.

Pendant toute une longue semaine, l'état de santé d'Annie fut alarmant. Elle se remettait difficilement de la violente commotion qu'elle avait subie et restait affaiblie par l'importante quantité de sang qu'elle avait perdue. Le chirurgien était soucieux.

Le soir, à l'heure où la fièvre monte, son délire l'entraînait dans un monde d'hallucinations. Elle faisait toujours le même cauchemar. Elle se voyait dans un site inconnu, empêtrée dans une robe beaucoup trop longue, cherchant à avertir, elle ne savait qui, d'un danger mystérieux, dont elle ignorait la nature. Elle courait, courait à perdre haleine, se démenait, essoufflée, pantelante, et elle avait si chaud qu'elle rejetait draps et couvertures, tant elle transpirait.

La garde-malade était obligée de sonner l'infirmière et toutes deux avaient la plus grande peine à calmer la jeune fille et à la contraindre à ne pas se découvrir.

De temps à autre, Annie émergeait de ces divagations et se rendait compte qu'il y avait du monde autour d'elle. Une fois même, alors qu'elle était agitée par une température élevée, il lui sembla reconnaître François

Monceau. Il avait dû rester longtemps assis à son chevet, l'air profondément affligé. Au moment de partir, il s'était penché vers elle et l'avait longuement embrassée sur le front. Mais de cela, elle n'était pas sûre : elle voyait tant de choses étranges dans son délire.

Enfin, arriva le jour où Annie revint à elle. Le matin où, pour la première fois, elle se réveilla sans avoir la fièvre, elle découvrit ce qui l'entourait. Elle était couchée dans une chambre aux murs blancs ripolinés, au mobilier d'hôpital. Par la fenêtre, elle apercevait un jardin et au loin la masse des montagnes. Elle était à Mexico, dans une clinique.

Le docteur Juarez fut enchanté de constater l'amélioration de l'état de santé de sa patiente. Sur la demande d'Annie, il lui expliqua les détails de sa blessure. Par chance, la balle de revolver, ayant dévié, n'avait pas brisé l'os de la clavicule, mais il s'en était fallu de quelques millimètres. L'extraction du projectile avait nécessité une opération très délicate, mais parfaitement réussie.

— Ce n'est plus qu'une question de temps, avait ajouté le chirurgien. Si le mieux persiste et si votre température ne remonte pas, vous entrerez bientôt en convalescence.

Dans la soirée de ce même jour, Annie, encore dolente, somnolait quand François Monceau vint lui rendre sa visite quotidienne. Il s'assit sans bruit, contemplant la jeune fille qui reposait, les yeux clos, le visage aminci.

Il se leva au moment où Annie sortait de son assoupissement. Elle allait ouvrir les yeux quand elle comprit que François s'apprêtait à lui dire bonsoir. Allait-il le faire comme il en avait pris l'habitude depuis qu'elle était malade ? Ou Annie avait-elle vu dans son délire un geste né de sa seule imagination ? Si François se rendait compte qu'elle était éveillée, ne lui dirait-il pas un bonsoir beaucoup plus cérémonieux ?

Elle était partagée entre le désir de parler à François et celui de le laisser ignorer qu'elle était consciente. Pourquoi ne pas faire durer, une fois encore, le rite affectueux ?

François se pencha vers Annie. Elle sentit qu'il posait les lèvres sur son front, doucement, tendrement. Annie feignait de dormir et ne bougea pas. Elle savourait ce doux embrassement. Quand le romancier se releva, elle retint un soupir de regret.

Cette nuit-là, elle dormit comme un enfant et elle se réveilla le lendemain matin fraîche et dispose.

Tous les jours, sans y manquer jamais, François venait la voir. C'était le plus souvent en fin d'après-midi, quand il en avait fini avec ses tâches journalières.

Il entourait Annie d'attentions et de prévenances. Il lui offrait des friandises, pour flatter son appétit encore capricieux, il lui apportait des magazines français pour la distraire. Par ses soins, la chambre de la jeune fille était toujours fleurie et agrémentée de plantes rares.

Annie attendait ses visites avec impatience. Elle se souvenait maintenant des circonstances du drame qui s'était déroulé dans le parc de l'hôtel. François ne lui en parlait pas, la jugeant sans doute encore trop faible et trop fragile pour réveiller des émotions violentes.

Il ne l'avait plus jamais embrassée pour prendre congé. Parfois, il lui arrivait de faire preuve de retenue, de timidité presque, vis-à-vis de la jeune fille. C'était si inattendu que celle-ci s'en étonnait. Elle supposait que cet embarras provenait du remords que François devait éprouver à cause du drame.

Les visites étaient encore interdites à la blessée, et seul François Monceau était autorisé à la voir. Aussi, la jeune fille fut-elle très surprise quand, un après-midi, l'infirmière vint lui annoncer qu'un monsieur demandait s'il pouvait monter.

— On ne l'a pas renvoyé, parce que c'est le médecin français qui vous a amenée après votre accident, expliqua-t-elle.

Annie avait appris la part qu'Alain avait eue à son sauvetage. Elle ne pouvait refuser de le voir. Elle pria qu'on le conduisît jusqu'à sa chambre.

Dès qu'Alain fut là, la jeune fille le remercia chaudement pour son aide.

— Je vous suis très reconnaissante pour tout ce que vous avez fait. Je comptais vous exprimer ma gratitude par écrit, dès que je me serais sentie assez forte pour tenir un stylo. Mais je suis heureuse de l'occasion qui m'est donnée de le faire de vive voix.

— Vous n'avez pas à me remercier, répondit Alain, je n'ai fait que mon devoir de médecin. Je suis toutefois rassuré d'apprendre l'amélioration de votre état de santé. Avant de monter, j'ai vu l'interne de garde, il est très optimiste. Vous êtes encore affaiblie, mais cela apparaît comme un processus normal après une intervention chirurgicale.

— Je vous croyais reparti pour la France depuis longtemps déjà, remarqua Annie.

— A vrai dire, je ne pensais pas revenir à Mexico. Le congrès terminé, j'ai fait un petit voyage d'agrément, puis je me suis rendu aux Etats-Unis, à Boston, pour rencontrer un de mes confrères biologistes. Je regagne la France en faisant un petit crochet. Avec l'avion on se déplace si vite ! A propos, maintenant que vous êtes mieux, quand comptez-vous rentrer ?

— Je ne sais pas... Je ne suis pas encore capable de faire un si long voyage. Il faut d'abord que je reprenne un peu de forces.

— Vous pourriez voyager en avion sanitaire, avec un personnel médical.

— A ma connaissance, cette solution n'a pas été envisagée.

— Pourquoi pas ? Ce serait pourtant la solution raisonnable. Vous seriez beaucoup mieux en France pour vous rétablir que dans un pays étranger.

— Mais je n'ai pas les moyens de fréter un avion sanitaire.

— Et Ramirez ?

— Ramirez ?

— Oui. C'est bien lui le responsable ? Il vous doit bien ça. C'est un homme puissamment riche, il peut le faire. Et j'ai idée qu'il serait très soulagé de savoir que vous avez quitté le Mexique.

— C'est hors de question, je ne veux rien demander à M. Ramirez. J'attendrai pour rentrer de me sentir mieux.

— Pourquoi ne pas le faire tout de suite ? Puisque je suis là, je vous accompagnerai dans l'avion sanitaire. A Paris, je vous mettrai dans les mains des meilleurs spécialistes et je vous trouverai une agréable maison de repos où vous serez entourée des soins appropriés.

— Et où vous viendrez me voir fréquemment, j'imagine ?

— Qu'allez-vous chercher là ?

— Je ne cherche rien, il me semble que c'est plutôt vous qui cherchez à me convaincre. Ma réponse est nette : je ne rentrerai pas maintenant.

— A cause de François Monceau ?

— Ne le mêlez pas à cette question.

— Parce que vous trouvez qu'il n'y est pas mêlé, peut-être ? Vous ne vous rendez pas compte qu'à cause de lui vous auriez pu être tuée par ce furieux, qui vous a tiré dessus ? Mais qu'espérez-vous donc de ce M. Monceau ?

— Je n'espère rien.

— Vous n'espérez quand même pas qu'un jour il vous demande en mariage ?

Annie regarda Alain bien en face.

— Je crois qu'il serait préférable que vous n'abordiez pas la question du mariage, dit-elle.

— Croyez-vous que vous seriez plus malheureuse avec moi ?

— En qualité de quoi ? De maîtresse peut-être ?

— Et puis encore ? Seriez-vous plus malheureuse d'être ma maîtresse que d'être celle de François Monceau ? Un homme qui s'affiche de façon éhontée avec ses nombreuses conquêtes ! Vous avez vu où cela mène. Avec moi, au moins, vous seriez sûre de ne pas risquer le scandale. J'aurais soin de votre réputation.

Annie s'était redressée. Elle était devenue livide.

— Parce que vous auriez assez d'hypocrisie et d'égoïsme pour bien organiser votre petite vie. D'un côté, votre femme qui vous apporte la réussite matérielle, l'influence et les relations, mais qui est laide et que vous n'aimez pas. De l'autre, votre maîtresse qui vous plaît, qui serait votre plaisir et votre distraction, mais qui ne peut rien vous apporter de profitable pour votre carrière. Belle combinaison ! L'utile et l'agréable, tout y serait.

— Qu'est-ce que vous racontez-là ? Voyons, vous n'êtes plus une enfant, vous connaissez la vie...

Tremblante d'indignation, Annie l'interrompit.

— Je vous interdis de me parler de la sorte. Je ne

suis la maîtresse de personne, pas plus de François Monceau que de quiconque. Sachez-le.

Alain voulut répliquer. D'un geste impératif, Annie l'arrêta.

— Sortez, dit-elle. Allez-vous-en. Vous avez gâché jusqu'au souvenir que je gardais des heureux moments que nous avons passés ensemble. Je ne veux plus jamais vous revoir.

— Ne vous mettez pas dans des états pareils, je n'ai pas voulu vous offenser. Vous êtes là comme l'oiseau sur la branche, je me suis proposé pour vous aider. Nous allons nous réconcilier, et, pour vous prouver que je suis tout à votre disposition, je resterai encore deux jours ici. Je suis au Continental. Si vous avez besoin de quoi que ce soit, faites-moi passer un message, j'accourrai tout de suite.

Elle ne répondit pas. Alain allait ajouter quelque chose, mais il vit qu'elle était au bord de l'évanouissement. Le médecin en lui prit le pas sur l'homme.

— Je vous laisse, A bientôt, j'espère.

Après le départ d'Alain, le jeune fille se sentit envahie par une immenses tristesse. Ainsi, il n'était revenu à Mexico que parce qu'il avait jugé l'occasion favorable pour lui et ses projets. La ramener en France et faire d'elle sa maîtresse! Il s'imaginait qu'après l'avoir rejetée comme épouse, elle serait trop heureuse de lui tomber dans les bras. Il ne pouvait concevoir qu'Annie ait eu une attitude désintéressée au moment du drame. Cet homme lui faisait horreur. Pourtant, elle avait cru en lui, naguère. Elle s'était laissé aveugler par ce qu'elle croyait être l'amour. Elle s'était cruellement trompée.

Ne s'était-elle pas trompée aussi en se croyant assez forte pour ne pas s'éprendre de François?

Elle était si seule! François ne l'aimerait jamais. Il courait d'aventure en aventure, préférant les femmes coquettes et peu farouches, qui n'étaient pour lui que des liaisons sans lendemain. Et pourtant Annie n'avait pu se défendre de ressentir de la jalousie en découvrant son intrigue avec Mme Ramirez.

Annie ne regrettait pas son geste. Elle l'avait fait pour François, même si cela avait sauvé cette Mme Ramirez, qui n'était qu'une conquête rapide et de courte durée. Pour rien au monde, Annie n'aurait voulu jouer un tel rôle dans la vie de François. Elle l'aimait trop pour cela.

Le soir, Annie ne put dîner, et elle eut un accès de fièvre. Le chirurgien décréta que les visites ne lui valaient rien et que, jusqu'à nouvel ordre, elles seraient supprimées. Sauf celles de M. Monceau.

XVI

LE lendemain, Annie allait mieux. Le chirurgien l'autorisa à descendre tous les après-midi dans le jardin et à s'y promener. Il était d'avis qu'un peu d'exercice lui ferait reprendre des forces et aiderait à son complet rétablissement.

Après la sieste, l'infirmière aida Annie, dont les jambes étaient encore vacillantes de faiblesse, à se rendre dans le jardin et à y faire quelques pas. Après cette courte promenade, la jeune fille s'étendit sur une chaise longue, dans un coin tranquille et ombragé.

Bien enveloppée dans un plaid, elle regardait autour d'elle, renouant connaissance avec la douceur du jour, la teinte des fleurs, la végétation luxuriante et le chant des oiseaux. Elle aspirait l'air à longs traits, goûtant la joie de se sentir vivante et de sentir le monde exister alentour.

Sa surprise fut grande d'apercevoir soudain François s'avancer vers elle. Elle s'en réjouit. Il ne venait jamais si tôt habituellement. Peut-être disposait-il de plus de temps libre ce jour-là, et sa visite en serait-elle d'autant plus longue. Cette perspective enchanta la jeune fille. Elle accueillit François avec un beau sourire et lui tendit la main.

Comme d'habitude, François lui apportait des douceurs et des journaux. Il s'enquit de sa santé avec beaucoup de sollicitude et la félicita des progrès de sa convalescence.

Pourtant, Annie remarqua vite que, s'il était aimable, François n'avait pas son sourire coutumier. On eût dit que quelque chose le préoccupait. Il semblait absent et répondait distraitement. La conversation languit et bientôt tomba. Annie en fut tout attristée. « On dirait qu'il s'ennuie avec moi. Maintenant qu'il me sait hors de danger, ces fréquentes visites lui pèsent. Peut-être ne vient-il plus que par devoir. »

Le silence s'installait entre eux, devenait pesant.

Annie cherchait quel sujet pourrait intéresser le romancier, mais ce fut lui qui parla le premier.

— Maintenant que vous allez mieux, dit-il, vous êtes sans doute impatiente de regagner la France.

Etonnée, Annie le regarda.

— Mais... je dois à la vérité de vous dire que je n'ai pas pensé à mon retour ces derniers temps. Probablement, parce que je n'étais pas assez robuste pour l'envisager.

— Si vous aviez une occasion de le faire, une occasion sérieuse...

— Que voulez-vous dire ? l'interrompit Annie.

— Qu'il faut penser à votre santé avant tout.

— Jusqu'à présent, j'ai été très bien soignée et je n'avais aucune raison de vouloir m'en aller. Mais, dès que je le pourrai, croyez-bien que je ne prolongerai pas indûment mon séjour.

Le visage de François avait une expression fermée, impénétrable. « Ma présence l'importune, songea-t-elle, on croirait qu'il souhaite me voir partir. Est-ce parce que je lui rappelle des événements qu'il préférerait oublier ?

— Je sais, reprit François, quel service vous m'avez rendu en venant me rejoindre à Mexico et m'aider pendant la maladie de M. Dauphin. Je sais aussi — là je ne dirai pas quel service car ce serait vous offenser — ce que vous avez fait pour moi, et soyez persuadée que je ne l'oublie pas. Et que je ne l'oublierai jamais, ajouta-t-il plus bas comme s'il se parlait à lui-même.

Annie attendait qu'il continue.

— Cependant, je comprends qu'une femme jeune, belle comme vous l'êtes ait le désir d'avoir une vie privée.

Déconcertée par ce préambule, la jeune fille ne répondit pas.

— Si vous souhaitez rentrer rapidement à Paris, je suis prêt à faire tout le nécessaire pour que vous puissiez partir dans les quarante-huit heures, acheva François.

Cette fois, Annie resta interloquée. A quoi rimait ce discours? Pourquoi parlait-il tout à trac d'un départ dans les quarante-huit heures? Il y avait anguille sous roche. Elle voulut en avoir le cœur net.

— Et vous? Qu'en pensez-vous? interrogea-t-elle.

— Oh! moi, répondit François d'un ton détaché, je n'ai pas à peser sur votre décision.

— Je ne sais que décider.

— Vous n'avez à consulter que vous-même.

Il fit une pause avant d'ajouter:

— Ou la personne qui est susceptible de vous accompagner.

— Mais de qui voulez-vous parler?

François la regarda longuement. Il paraissait peiné qu'elle eût posé cette question.

— Vous le savez bien. Puisque le docteur Cordier voyagerait avec vous.

Annie n'en pouvait croire ses oreilles : François lui parlait d'Alain et d'un éventuel retour avec celui-ci ! Elle tombait des nues.

« Que s'est-il passé ? se demanda-t-elle. Il ne peut s'agir que d'une intervention d'Alain. Qu'a-t-il bien pu manigancer ? »

— Le docteur Cordier est, en effet, venu me voir hier et m'a proposé, à ma grande surprise, de me ramener à Paris en avion sanitaire, dit enfin Annie. J'ai nettement et catégoriquement refusé de rentrer avec lui.

— Avez-vous bien réfléchi ? Le docteur Cordier pense sans doute que votre séjour à Mexico a assez duré.

Elle se sentait devenir fébrile.

— Au nom de quoi le docteur Cordier se permet-il d'intervenir quant à la durée de mon séjour à Mexico ? Ou sur n'importe quel autre point de ma vie ? Je ne suis pas sa femme, il n'a aucun droit sur moi.

— Il y a certains droits qui ne sont inscrits nulle part.

Le ton sec avec lequel François avait dit cette phrase stupéfia Annie.

— Alain Cordier n'a aucun droit, ni officiel ni occulte d'intervenir dans ma vie. Je le lui ai spécifié hier...

— Peut-être s'agissait-il d'une banale querelle que vous aurez tôt fait d'oublier...

— Je ne reverrai jamais Alain Cordier et il ne m'est rien.

— En êtes-vous tout à fait sûre ?

— Mais pourquoi me dites-vous de telles choses ? Pourquoi tout à coup me parlez-vous ainsi ? Je vous en conjure, expliquez-moi ce qui se passe.

Elle paraissait si frêle, dans sa robe de chambre

devenue un peu trop grande pour elle. Son visage aux traits épurés par la maladie, à l'ovale affiné, paraissait plus menu, ce qui faisait ressortir davantage ses grands yeux. Il y avait dans son attitude, dans sa façon de pencher la tête, de tendre les mains en un geste de supplication, une grâce attendrissante; tout en elle était harmonie.

François ne pouvait détacher son regard de la jeune fille. Il comprit à quel point elle était bouleversée.

— Je vous dois une explication, dit-il. Ce matin, j'ai reçu la visite du docteur Cordier. Il m'a expliqué qu'il avait la possibilité de vous faire rapatrier dans les meilleures conditions, en avion sanitaire. Il vous en a parlé hier, mais, d'après lui, vous n'avez pas bien pris cette offre. Il vous a trouvée tendue, nerveuse. A son avis, ce seraient des séquelles consécutives au choc que vous avez subi.

François marqua un temps, comme s'il était gêné de devoir continuer. Puis il reprit:

— Le docteur Cordier est un galant homme qui sait se montrer discret, mais j'ai cru comprendre que vous vous connaissiez depuis longtemps et que vous n'étiez pas des étrangers l'un pour l'autre.

Annie était suffoquée. Ainsi, Alain était allé trouver François et lui avait raconté une histoire de sa façon. Il avait laissé entendre qu'Annie était sa maîtresse pour que ce soit François lui-même qui conseille ce retour et qui insiste auprès d'elle. Peut-être, Alain espérait-il aussi qu'après ces «révélations», François et elle seraient à tout jamais séparés. Pour arriver à ses fins, Alain était capable de tout. Cet homme était le diable!

La jeune fille releva la tête et regarda François droit dans les yeux.

— Je vais tout vous expliquer dit-elle, d'une voix

vibrante d'indignation. Oui, je connais Alain depuis longtemps. Autrefois, nous avons été fiancés. Je dis bien : fiancés. C'était la première fois que j'étais amoureuse. J'admirais Alain, garçon brillant promu à un grand avenir, il me répétait qu'il m'aimait. Je crus toucher au bonheur. Notre mariage fut décidé.

Annie dut s'interrompre quelques instants, trop émue pour pouvoir continuer.

— Mais la vie veillait avec ses contraintes et ses réalités. Alain était, est toujours, l'assistant du professeur Blanchet. Celui-ci avait remarqué les qualités de cet interne. Il voulut se l'attacher par des liens plus étroits que ceux de simple collaborateur.

François écoutait attentivement la jeune fille.

— Alain changea. Il prétendait être de plus en plus souvent pris par son travail et nous nous voyions de moins en moins. Il me délaissait, il me cachait la vérité, que j'appris par des tiers. Finalement, après bien des faux-fuyants de sa part, je compris qu'il était fasciné par la perspective qui s'offrait à lui : celle de devenir le gendre du professeur Blanchet, futur Prix Nobel.

Annie était meurtrie par l'évocation de ces tristes souvenirs.

— Alors, c'est moi qui ai rompu. L'ambition d'Alain était la plus forte. S'il m'avait vraiment aimée, il n'aurait pas envisagé un seul instant l'éventualité d'épouser la fille du professeur Blanchet. Je ne voulais pas qu'il continuât à me mentir. J'étais trop fière pour m'accrocher à lui et le forcer à m'épouser. Il l'aurait regretté ensuite et me l'aurait reproché toute sa vie durant. Et puis, le plus grave, c'était que j'avais perdu confiance en lui.

La jeune fille continua :

— J'ai quitté les Laboratoires de la Source, où je

travaillais, car nous aurions constamment été en contacts professionnels. Je voulais couper les ponts à tout jamais.

François ne disait mot.

— Le temps a passé. Je n'ai plus revu Alain. Ce n'est que le matin du gala, alors que je sortais du musée de Chapultepec, que je l'ai rencontré. Le soir même, il s'est trouvé, par le plus grand des hasards, présent à l'hôtel quand on cherchait un médecin pour me soigner. Et hier, alors que je le croyais depuis longtemps reparti pour la France, il a surgi inopinément dans ma chambre. Il voulait me ramener avec lui et il m'a fait des propositions qui m'ont profondément offensée. Je l'ai prié de sortir et je lui ai dit que je ne voulais plus le revoir de ma vie. Voilà, vous savez tout.

Il y eut un long silence, entrecoupé seulement par les petits piaillements aigus de deux colibris à l'éclatant plumage, qui se becquetaient sur une branche proche.

— Mais l'aimez-vous encore ? questionna François.

Il avait parlé d'un ton détaché et son visage était impassible.

Annie ne répondit pas tout de suite.

— Je crois, dit-elle enfin, que je ne l'ai jamais aimé. J'étais très jeune alors. Ce que j'ai pris pour de l'amour n'était que le premier émoi d'un cœur inexpérimenté. J'ai été malheureuse, pourtant. J'ai souffert après notre rupture. Mais cette expérience m'a fait réfléchir, elle m'a donné plus de maturité d'esprit. A l'époque où j'ai connu Alain, je ne pouvais pas comparer, mais je sais maintenant ce qu'est le véritable amour.

— Et qu'est-ce que c'est, d'après vous ?

Annie ferma les yeux, plongée dans ses pensées.

— L'amour, commença-t-elle, lentement et à voix presque basse, le véritable amour est celui qu'on ne rencontre qu'une fois, qu'une unique fois dans sa vie.

Peu à peu, la jeune fille s'animait.

— Au début, on croit qu'on pourra lui résister. Mais on s'illusionne, l'amour est toujours le plus fort. Il use de tous les sortilèges dont il dispose, il joue de tout le clavier de ses enchantements pour vous ensorceler. Bientôt, on capitule devant lui. Alors, il devient une force implacable qui détruit tout sur son passage et qui vous emporte dans son irrésistible élan.

Annie avait parlé d'un ton passionné.

— Et comment pouvez-vous savoir qu'il s'agit du véritable amour ?

François avait posé cette question d'une voix neutre, mais Annie fut surprise de l'altération de ses traits.

Elle répondit :

— Cette délicieuse angoisse qu'on éprouve à la vue de l'être aimé, qui vous fait battre le cœur plus vite, qui vous fait presque manquer de souffle, haleter, comme après une longue course, c'est ça l'amour. C'est un sentiment tellement plus intense et plus tumultueux que celui que j'ai éprouvé autrefois. Plus rien ne compte en dehors de l'être aimé. Il est le jour et la lumière. Pour lui, on ferait n'importe quoi, on traverserait les flammes, on n'hésiterait pas à se jeter au-devant du danger...

Brusquement, Annie prit conscience d'avoir trop parlé. Elle regarda François. Il semblait être changé en statue de pierre. Très pâle, il la fixait d'un regard pénétrant.

« Mon Dieu ! Qu'ai-je fait ? pensa la jeune fille. Entraînée par mes sentiments, je me suis trahie. Il a compris que je l'aime. J'ai eu tort de parler, mon secret était sur mes lèvres. »

Elle avait les joues empourprées par l'émotion. Son

trouble rendait ses yeux plus bleus encore. Ils brillaient comme des étoiles.

— Et cet amour, l'avez-vous rencontré ?

Elle aurait préféré ne pas répondre. Mais sous le regard de François qui ne la quittait pas, elle faiblit et, la gorge serrée par l'émoi, elle dit dans un souffle :

— Oui, et je sais que je n'aimerai jamais un autre homme au monde.

François se passa la main sur les yeux comme s'il voulait échapper à quelque vision intérieure.

— Annie, demanda-t-il, ce que vous avez fait pour moi, pourquoi l'avez-vous fait ? Quel sentiment dictait votre conduite ?

La jeune fille hésita longtemps avant de répondre. Enfin, elle se décida :

— Parce que je vous sentais menacé, parce que je n'ai pas réfléchi, parce que je voulais vous sauver, parce que...

Dans un soupir qui ressemblait à un sanglot, elle ajouta :

— Parce que je vous aimais.

Confuse, elle se cacha le visage de ses mains. D'un geste doux mais ferme, François prit les mains d'Annie, les écarta de son visage.

— Annie, Annie, ma petite fille... Je suis bouleversé. Je vous demande pardon. Pour tout.

— Mais... je n'ai rien à vous pardonner.

— Oh, si ! D'abord, parce que j'ai mis inconsidérément votre vie en danger pour une aventure sans lendemain.

— Vous aussi, vous m'avez sauvé la vie. Souvenez-vous de Cuernavaca. Je ne l'ai jamais oublié, c'est gravé dans mon cœur.

— Et surtout, je vous demande pardon pour avoir douté de vous depuis le début.

— De moi ?

— Oui. Voyez-vous, je me suis déjà cruellement trompé en amour. J'ai été dupé. Je me défie des femmes. Je ne voulais plus m'attacher, je redoutais d'éprouver un sentiment qui aurait pu m'entraîner plus loin que je ne le voulais.

Annie n'osait l'interrompre.

— C'est à Cuernavaca, quand je vous ai cherchée dans la tempête, que j'ai compris ce que vous représentiez pour moi. Ce n'était pas un sentiment superficiel, il avait déjà en moi de profondes racines. Mais j'ai résisté, j'ai lutté contre.

Le ton de François devenait plus ardent. On sentait la violence d'un sentiment trop longtemps gardé au-dedans de lui-même.

— Je crois que je vous ai aimée le premier jour où je vous ai vue. Oui, dès que je vous ai vue dans ma bibliothèque de la rue de Varenne, à Paris. J'ai même failli vous renvoyer, séance tenante. Je sentais le danger. Vous me rappeliez aussi trop Sabine, avec pourtant quelque chose d'autre, quelque chose qu'elle ne possédait pas et que je lisais dans vos yeux. Mais vos visages pouvaient-ils être si ressemblants et vos âmes si différentes ? Je ne voulais pas, je ne voulais plus souffrir à cause d'une femme.

— Moi aussi, j'ai été dupée. Moi aussi, j'ai souffert d'une trahison. Mais maintenant ce passé est mort, je suis heureuse d'être libérée d'un homme que j'avais cru digne de mon amour et qui ne l'était pas.

— Je ne croyais plus à rien, continua François. Je ne croyais plus que je rencontrerais jamais la femme dont j'avais toujours rêvé, celle qui réunirait en elle toutes les qualités que je recherchais. Et vous êtes venue. Avec votre charme, avec votre douceur, avec votre jeunesse... Votre loyauté surtout. J'avais peur de cet amour, je l'avais appelé de tous mes vœux, et maintenant qu'il était là, je voulais le fuir.

Annie écoutait avidement François. Elle croyait vivre un songe.

— Et la sinistre nuit du drame, pendant ces longs moments que j'ai passés près de vous, étendue inanimée. Je voyais votre sang sourdre de la blessure, comme un filet d'eau qui s'écoule continûment. Et je savais que c'était votre vie qui s'écoulait, votre vie que vous aviez risquée à cause de moi, à cause d'une misérable liaison, d'une passade tout au plus, avec une femme que je méprisais. Ma chérie, me pardonnerez-vous jamais ?

— N'en parlons plus. C'est oublié. Vous êtes là et je suis près de vous, vivante.

— Et nous nous aimons, dit gravement François.

Il aida Annie à se relever de sa chaise longue. Elle se tenait devant lui, la tête un peu inclinée. Délicatement, il lui souleva le menton. Il vit la lueur de ses yeux et le léger frémissement de sa bouche. Il se pencha vers elle, ses lèvres cherchèrent celles de la jeune fille et, fougueusement, il l'embrassa.

LA corbeille de roses était si grande qu'on eut beaucoup de mal à l'introduire dans la chambre d'Annie. Il fallut l'aide de deux femmes de charge pour la faire passer par la porte sans casser les tiges ni abîmer les fleurs. Cinq douzaines de roses pourpres s'épanouissaient dans la mousse d'une corbeille en vannerie finement tressée.

Un mot était joint à l'envoi. Annie reconnut la haute écriture décidée de François. Elle décacheta l'enveloppe et en sortit une carte

«Ma douce chérie,

Que ces fleurs soient les messagères de mes pensées et vous disent combien est vive ma hâte de vous revoir. A cet après-midi.

Très tendrement
François»

La jeune fille lut et relut le billet. Ces quelques lignes lui exprimaient mieux qu'une longue missive le sentiment que François éprouvait pour elle.

Elle l'attendait avec impatience. Toutes les cinq minutes, elle consultait sa montre, surprise que les aiguilles n'avancent pas plus vite. A plusieurs reprises, elle demanda l'heure à l'infirmière.

Celle-ci souriait d'un air entendu. Bien que dans l'exercice de ses fonctions, elle se montrât active et de sens pratique très aigu, elle rêvait en secret comme une midinette. N'ayant jamais eu la chance de connaître une aventure sentimentale telle qu'elle l'aurait souhaitée, elle vivait celles des autres par personnes interposées.

Dans le cas présent, elle flairait une idylle, ce qui la remplissait d'aise. Elle avait la sensation d'être, en quelque sorte, le témoin privilégié d'un roman d'amour.

La discrétion professionnelle lui interdisait de se mêler de la vie privée des patients qu'elle soignait, mais elle ne put se retenir de s'extasier sur cet envoi de fleurs aux proportions inhabituelles. La corbeille emplissait un des coins de la chambre. On eût dit un buisson embrasé et odorant.

— Quelles roses magnifiques! s'exclama-t-elle. On peut dire que vous êtes gâtée!

— N'est-ce pas qu'elles sont belles? dit Annie, rayonnante.

— La personne qui vous a fait cet envoi est sûrement une personne de goût, continua l'infirmière avec un air de ne pas y toucher, et qui, de plus, tient beaucoup a vous faire plaisir.

— Je le crois.

— Il faut vous faire belle. Votre robe de chambre rouge est un peu froissée, je vais l'envoyer chez le teinturier. J'ai vu que vous en aviez une rose, superbe, dans la penderie. Il faudra la mettre cet après-midi, ajouta l'infirmière péremptoire.

Annie avait la pudeur de ses sentiments. Elle ne voulait pas se livrer à des confidences.

— Je ne suis pas sûre d'avoir de visite cet après-midi, dit-elle, un rien hypocrite.

— Et moi je serais bien surprise que vous n'en ayez pas.

L'infirmière rit de bon cœur en disant cela, ce qui fit tressauter ses grosses joues et son double menton.

— Vous en avez de la chance, c'est quelqu'un de bien.

— A qui faites-vous allusion ?

— Eh bien, au grand Monsieur brun distingué qui vient tous les jours. C'est vraiment un bel homme. Et son regard ! Ce que je remarque tout de suite chez les hommes ce sont les yeux. Lui, il a des yeux de braise.

Tout en bavardant, l'infirmière préparait la piqûre qu'elle faisait tous les matins à Annie.

— On peut dire qu'il était dans tous ses états la nuit où vous avez été opérée. Quand on vous a ramenée dans votre chambre, je l'ai croisé dans le couloir : il arrivait comme un fou. De toute ma carrière, je n'ai jamais vu quelqu'un d'aussi inquiet, d'aussi anxieux. Sur l'instant, j'ai cru que c'était votre mari ou votre fiancé.

L'infirmière fit sa piqûre. Elle avait la main si légère qu'elle ne provoquait jamais la moindre douleur.

— Et les premiers jours, quand vous aviez le délire, si vous aviez pu le voir ! continuait-elle. Des heures durant il était là, près de vous. Il ne vous quittait plus. Il fallait le mettre à la porte pour le forcer à aller prendre un peu de repos. Si on l'avait laissé faire, il serait resté jour et nuit à votre chevet. Vous ne pouvez pas vous imaginer sa joie et son soulagement quand le médecin lui a annoncé que votre température était tombée et que vous étiez hors de danger ! Je crois bien qu'il en avait les larmes aux yeux.

L'infirmière ramassa son matériel et ses boîtes de médicaments.

— En tout cas, ce matin vous avez bonne mine. Je vous laisse. Préparez-vous, mais ne vous fatiguez pas trop.

Annie se rendit dans la salle de bains contiguë à sa chambre.

Elle prit plaisir à flâner dans son bain, se sécha longuement et se frictionna avec de l'eau de Cologne offerte par François. Comme il était agréable de se sentir fraîche, de sentir bon. Cette sensation d'euphorie, c'était une preuve de retour à la vie.

Quand elle eut fini sa toilette, il n'était qu'onze heures. Quand arriverait François ? A deux heures, deux heures et demie peut-être. « Pourvu qu'il n'ait pas d'empêchement, pourvu qu'il ne soit pas retardé. Et s'il venait ce matin ? se demandait-elle ? »

Ce fut le docteur Juarez qui vint pour sa visite quotidienne. Il se montra content de trouver sa patiente en si bonne forme. Il lui conseilla toutefois de ne pas trop s'agiter.

— Allons dit-il, vous êtes maintenant sur la voie de la complète guérison. Je crois qu'on peut envisager votre sortie de clinique pour la semaine prochaine.

A l'heure du déjeuner, Annie se fit gronder par l'infirmière qui trouvait qu'elle ne mangeait pas suffisamment. La jeune fille était si impatiente de voir François qu'elle expédia son repas. L'attente lui coupait l'appétit.

Après la sieste, Annie se rendit à nouveau dans la salle de bains et s'examina dans le miroir. Son visage reposé avait retrouvé son teint lumineux. Ses yeux rayonnaient de joie.

« Il n'y a aucun doute, pensa-t-elle, le bonheur est

bien le meilleur produit de beauté qui puisse convenir à une femme.»

Annie entreprit de se coiffer ; avec soin, elle brossa ses blonds cheveux. Délicieux devoir de se faire belle pour l'homme qu'on aime ! La jeune fille songeait qu'elle aurait maintenant toute sa vie la douce tâche de se parer pour plaire à François.

Elle enfila sa robe de chambre en soie brochée rose et rectifia une mèche qui retombait sur son front.

L'infirmière vint la chercher pour l'aider à descendre dans le jardin.

— Vous êtes resplendissante, dit-elle admirative, une vraie réclame pour la clinique du docteur Juarez !

Annie souriait. Elle était heureuse.

Il arrivait. Il était là. Près d'elle ! Plus rien d'autre n'importait, Annie ne voyait plus que lui.

La grosse infirmière s'attardait à arranger les coussins dans le dos d'Annie, étendue sur la chaise longue. François attira une chaise, s'assit tout contre. Il prit dans les siennes les mains que la jeune fille lui tendait, les pressa doucement et les porta à ses lèvres. Longuement, il les embrassa.

L'infirmière s'éloigna, avec une discrétion ostentatoire.

— François, murmura Annie, comme je suis heureuse de vous voir ! Les heures m'ont semblé interminables. Et comme je vous remercie pour les magnifiques roses que vous m'avez envoyées, elles ont transformé ma chambre en une serre embaumée.

— Elles n'ont fait que vous transmettre tout l'amour que je ressens pour vous.

François fut ravi d'apprendre qu'Annie pourrait quitter la clinique la semaine suivante.

— Je vais en parler avec le docteur Juarez, dit-il, et nous déciderons du jour exact de votre sortie. Il faut penser désormais à votre convalescence et choisir un endroit propice à votre rétablissement.

— Mais je ne veux pas quitter Mexico, protesta Annie, je ne veux pas vous quitter.

— Ne vous inquiétez pas, ma chérie, nous ne serons pas séparés. Je pense à cette station, Cocoyoc, qui a été si bénéfique à M. Dauphin. Il y réside dans une hacienda transformée en hôtel. Avec lui, vous ne serez pas seule. Je vous téléphonerai tous les jours. Et comme c'est tout près de Mexico, je viendrai passer tous les week-ends avec vous.

Il réconfortait la jeune fille, cherchant à la faire sourire.

— Vous verrez, l'endroit est superbe. A cette saison, les arbres fruitiers sont en fleurs. Partout, il y a des sources dans la verdure. Elles sont si bénéfiques que les empereurs aztèques venaient déjà y faire des cures.

Il se fit plus sérieux.

— Je n'ai pas voulu partir tant que vous n'étiez pas rétablie, mais j'aurais déjà dû rentrer à Paris. Pendant que vous serez à Cocoyoc, je ferai un aller-retour rapide. J'ai des affaires urgentes en suspens. Mon éditeur s'impatiente et me réclame à cor et à cri.

— Combien de temps resterez-vous absent ?

— Le moins possible. Dès que j'en aurai terminé avec les questions les plus importantes, je me hâterai de revenir à Mexico. Comment pourrais-je rester longtemps loin de vous ?

L'après-midi se passa en échange de tendres propos. Quand l'infirmière reparut en annonçant que le moment était venu pour la jeune fille de regagner sa chambre, François et elle en furent tout étonnés. Absorbés par leur amour, ils n'avaient pas eu conscience de la fuite des heures.

Ils se quittèrent en se promettant de se revoir le lendemain.

Et, tous les jours, Annie attendait avec la même impatience l'arrivée de François ; tous les jours, elle ressentait la même émotion et la même joie lorsqu'elle le voyait s'avancer vers elle et qu'il la prenait dans ses bras.

Exceptionnellement, ce mardi-là, François était retenu. Il avait été invité par le recteur de l'université de Mexico à donner une conférence. Celle-ci devait avoir lieu en début de l'après-midi et être suivie d'un débat avec les étudiants. Une réception et un dîner clôturaient la journée.

Annie savait qu'un romancier célèbre, comme l'était François Monceau, ne pouvait se dérober à ces sortes d'obligations, inhérentes à sa profession.

Le matin, il l'avait appelée et ils s'étaient longtemps parlé au téléphone. Maintenant, Annie s'ennuyait, d'autant plus qu'une pluie fine tombait, interdisant toute promenade ou toute station dans le jardin.

Désœuvrée, la jeune fille feuilletait un magazine quand l'infirmière vint la prévenir qu'elle avait une visite.

— Qui est-ce ? demanda Annie, surprise.

— M. Ramirez.

Annie hésita quelques secondes.

— Demandez qu'on le fasse monter, finit-elle par dire.

Elle était très étonnée de cette visite inattendue. Depuis la fameuse soirée, elle n'avait plus entendu parler de M. Ramirez. Pourquoi venait-il la voir, surtout aujourd'hui ? Était-ce parce qu'il savait que François passait la journée à l'université de Mexico et qu'ainsi il était sûr de ne pas le rencontrer?

L'infirmière introduisit M. Ramirez et se retira. Le nouvel arrivant salua très respectueusement Annie et lui demanda des nouvelles de sa santé. La jeune fille l'invita à s'asseoir et le mit au courant de l'amélioration de son état.

Il semblait à Annie que M. Ramirez paraissait encore plus inquiétant que dans son souvenir. Ses petits yeux rusés, enfoncés sous les arcades sourcilières, avaient un éclat dur.

« On dirait un sanglier, songea la jeune fille: il en a non seulement l'aspect, mais encore les colères et la sauvagerie. »

Après quelques banalités, la conversation se ralentit. Il y eut un moment de silence. Manifestement, M. Ramirez était mal à son aise. Sans doute, éprouvait-il de l'embarras à cause de sa responsabilité dans le drame qui avait failli coûter la vie de la jeune fille. Aussi devait-il hésiter à aborder ce sujet. C'était sûrement à ce propos qu'il était là, sinon pourquoi serait-il venu?

Pour rompre les chiens, Annie lui apprit que sa sortie de la clinique était imminente et qu'aussitôt après elle partirait en convalescence.

M. Ramirez lui jeta un regard oblique. Il était d'autant plus gêné devant la jeune fille d'avoir paru gêné. On sentait qu'il n'était pas dans ses habitudes de perdre contenance.

Il eut un geste de la main, comme pour chasser une question importune.

— Au sujet de votre séjour à la clinique et de votre convalescence, je verrai M. Monceau, dit-il. Nous réglerons cette affaire ensemble. Mais ce n'est pas de ces détails matériels que je souhaiterais vous parler. Bien entendu, je ne voudrais en aucune façon réveiller de désagréables souvenirs, mais je désirerais vous poser quelques questions sur... sur l'accident.

— Quelles questions ?

— Eh bien, je suis prêt à croire que François Monceau et vous-même aviez rendez-vous dans la hutte près de la piscine cette nuit-là. Mais je ne m'explique pas pourquoi ma femme, qui dansait avec M. Monceau, a quitté tout à coup le night-club, et pourquoi il l'a suivie, à un très court intervalle.

Ramirez ne quittait pas Annie des yeux.

— Vous, au contraire de ma femme, vous n'avez dansé qu'une seule fois avec François Monceau. Et, quand ils sont sortis tous les deux, vous étiez sur la piste. Vous n'aviez donc pas remarqué qu'ils ne s'étaient pas quittés de la soirée ?

« Cet homme est d'une jalousie féroce, pensa Annie. Il n'a cessé d'épier sa femme et François. Il savait et il préparait son coup de longue date. »

La jeune fille resta évasive :

— En effet, François et votre femme ont beaucoup dansé ensemble, mais Mme Ramirez danse si bien, il est normal qu'elle soit recherchée par les cavaliers...

M. Ramirez la coupa brutalement :

— Ne tournons pas autour du pot. Vous avez très bien compris ce que je voulais dire. Vous n'êtes donc pas jalouse ?

Prise de court, Annie resta interloquée.

— François Monceau danse avec qui il lui plaît.

— Et vous êtes quand même allée le retrouver dans la hutte ?

Annie ne répondit pas. La conversation prenait un tour qu'elle jugeait dangereux. Il était clair que M. Ramirez n'avait pas assouvi sa rancune.

Mais le Mexicain se reprit et il sourit à la jeune fille.

— Ce n'est pas pour être indiscret que je suis venu, mais pour vous présenter toutes mes excuses.

Annie fit un geste pour l'arrêter, mais il continua:

— Non, je vous en prie, laissez-moi parler. Je sais que le mot excuse est bien faible en l'occurrence, mais si vous saviez combien j'ai regretté de vous avoir blessée, vous croiriez à la sincérité de mes remords. Aussi, pour me faire pardonner, je me suis permis de vous apporter un petit présent qui vous aidera, je l'espère, à ne pas garder un trop mauvais souvenir de votre séjour à Mexico.

Il prit la serviette en cuir qu'il avait posée à côté de sa chaise et il en sortit un large écrin en maroquin rouge qu'il tendit à Annie.

— C'est pour vous, dit-il.

La jeune fille ouvrit l'écrin. Elle ne put retenir une exclamation de stupéfaction. Sur un fond de velours noir, étincelait le plus beau collier qu'elle eût jamais vu. Un ruban scintillant de mille feux, formé d'entrelacs de brillants, les uns taillés en ronds, les autres en baguettes, et sertis dans une dentelle de platine. Un bijou fastueux. Un joyau de reine.

Annie restait médusée. Elle regarda M. Ramirez.

— C'est pour vous, répéta-t-il.

— Mais à quel titre?

— Pour me faire pardonner.

Annie referma l'écrin et le lui rendit.

— Excusez-moi, mais il m'est impossible d'accepter un cadeau de cette importance. Je ne m'y connais pas en diamants, mais je peux aisément imaginer qu'il s'agit là d'un bijou de très grande valeur.

— Il l'est, répondit tranquillement Ramirez. Rien que des pierres de premier choix, de la plus belle eau.

— Raison de plus pour refuser.

— Pourquoi refuseriez-vous?

— Mais parce que ce cadeau est beaucoup trop considérable. Pourquoi me l'offrir à moi ?

— A qui voulez-vous que je l'offre sinon à vous ?

— Et pourquoi pas à votre épouse ? Vous l'avez injustement soupçonnée, voilà une excellente occasion de faire la paix. Et Mme Ramirez le porterait magnifiquement bien.

M. Ramirez se pencha vers Annie. Sous les sourcils broussailleux, ses petits yeux eurent une lueur cruelle.

— Qui vous dit que j'ai l'intention de faire la paix ?

— Mais...

— Qui vous dit que je l'ai injustement soupçonnée ?

— Je ne comprends pas, dit Annie froidement.

Elle sentait monter son inquiétude devant l'attitude de Ramirez.

— Pourquoi ferais-je un cadeau d'une telle valeur à une femme qui se moque de moi ? continua M. Ramirez. Je préfère vous offrir ce collier, à vous qui n'étiez pour rien dans cette affaire et qui avez payé les pots cassés. Tenez, la seule chose que je vous demande c'est de me dire ce qui s'est vraiment passé. Racontez-moi tout.

« J'en étais sûre, pensa Annie, il montre enfin le bout de l'oreille. Le collier était un appât. »

— Je n'ai rien à raconter.

— Décidément, vous avez le goût du sacrifice chevillé au corps. Vous rendez-vous compte de ce que vous refusez ? Ce bijou représente une fortune. Et pour quelle raison le refusez-vous ? Pas pour sauver ma femme dont vous vous souciez comme d'une guigne. Non. Par amour pour le beau François Monceau. Il les aura donc toutes celui-là, ajouta-t-il, rageur.

— M. Ramirez, vous entrez dans le domaine de la vie privée, vous devenez indiscret...

— Mais que vous est-il, hein ? Que vous est-il ? Vous

n'allez pas prétendre que vous avez risqué votre vie pour lui uniquement parce qu'il est votre patron.

— M. Ramirez...

— Et pourquoi tout cela ? Pour la simple raison qu'il est beau et séduisant ! Il a la tournure, le visage, les manières qui plaisent aux femmes, lui ! Pas moi.

Il était lancé et Annie comprit que rien ne l'arrêterait.

— J'ai épousé ma femme par amour, j'étais fou d'elle. Je savais qu'elle ne m'acceptait que par intérêt, mais je croyais que j'arriverais à me faire aimer d'elle, à force de patience et de gâteries. Mais elle ne m'aime pas, elle ne m'aimera jamais. C'est une écervelée. Le premier godelureau qui passe lui tourne la tête. Eh bien, c'est fini, je ne veux plus qu'elle me ridiculise. A cause d'elle, j'ai failli devenir un meurtrier. Maintenant je veux divorcer, mais il me faut des preuves.

Ramirez s'interrompit un long moment. Il rouvrit l'écrin dans lequel chatoyaient les pierres précieuses et eut un geste vers Annie.

— Vous allez me dire la vérité, reprit-il d'une voix plus calme. Moi, je vous offrirai ce collier. Ce sera bien ainsi et nous serons contents tous les deux.

— M. Ramirez, je vous ai nettement spécifié que je ne pouvais pas accepter ce bijou. Vous ne me ferez pas changer d'avis. Je n'ai rien d'autre à ajouter.

A ce moment, la porte de la chambre s'ouvrit et l'infirmière entra dans la pièce.

— Vous restez trop longtemps, Monsieur, vous allez fatiguer notre malade. D'ailleurs, les visites sont terminées. Il est l'heure des soins.

Ramirez replaça l'écrin dans sa serviette et se leva. Cérémonieusement, il prit congé d'Annie, marmonnant quelques formules de politesse, mais toute son attitude exprimait sa rage et sa rancœur de repartir bredouille.

Le soir tombait plus tôt que de coutume. La pluie n'avait pas cessé. Dans le jardin, les fleurs penchaient leurs têtes alourdies par le poids de l'eau.

Annie était encore sous l'impression pénible que lui avait causée la visite de M. Ramirez.

« François, pensa-t-elle, François ! Comme tu me manques, comme je voudrais que tu sois près de moi ! Tu es ma protection, mon rempart contre toutes les laideurs du monde et de la vie. »

XVIII

Au moment des adieux, l'infirmière paraissait tout émue. Elle tendit à Annie un mince paquet enveloppé dans du papier de soie :

— Tenez, c'est pour vous. Ça me fait plaisir de vous l'offrir.

— Qu'est-ce que c'est ? demanda Annie, intriguée, en écartant le papier de soie.

C'était un dessin, visiblement exécuté par un amateur, collé sur un morceau de carton. Ce dessin représentait un assez gros oiseau, aux très longues plumes, coloré d'un ton rose vif.

— C'est ravissant, dit Annie.

Et, pour remercier l'infirmière, elle l'embrassa. La jeune fille trouvait beaucoup de charme à ce chromo naïf.

— Quel est cet oiseau ? questionna-t-elle.

— Il s'appelle le quetzal, répondit l'infirmière. C'est un oiseau de paradis qui vole à une vitesse foudroyante. Il est si beau qu'il a donné son nom à un dieu, le Quetzalcóatl, le Serpent à Plumes.

Elle baissa le ton et ajouta en confidence :

— Les plumes de ce dieu sont symboles de grandeur, de richesse, de puissance magique. Ne vous séparez jamais de cette image, c'est un porte-chance. Je l'ai fait exécuter spécialement pour vous.

— Je la garderai toujours, promit Annie.

Elle admirait la couleur du dessin.

— Cette teinte rose vif était très à la mode à Paris il y a quelques années. On l'appelait le rose indien.

— C'est le rose mexicain, expliqua l'infirmière, vous le trouverez sur chaque image, sur chaque dessin au Mexique. C'est une des couleurs du pays.

François était arrivé pour chercher la jeune fille. L'heure était venue de partir.

L'infirmière accompagna Annie et François jusqu'à la voiture et aida la jeune fille à s'installer confortablement sur le siège à côté du conducteur.

La gratification royale qu'elle avait reçue n'était pas le seul mobile de la sollicitude de l'infirmière. Elle s'était attachée à cette patiente qu'elle avait aidée, par ses soins et sa vigilance, à lutter pour recouvrer la santé, une patiente toujours si avenante et si gentille avec tout le monde. Enfin, il faut bien que les malades partent quand ils sont guéris et la jeune fille partait vers le bonheur en compagnie d'un homme si séduisant. «Tout est bien qui finit bien, soupira l'infirmière, romanesque.»

Annie s'était fait apporter une des toilettes dues à l'obligeance de Marie-Lou : le costume deux-pièces en toile de lin bleu lavande. La jupe évasée et la veste floue seyaient à sa silhouette un peu amincie.

La jeune fille jeta un coup d'œil furtif au miroir de courtoisie placé au-devant d'elle. La vue de son image la rasséréna. Mais, mieux que dans un miroir, c'était dans les yeux de François qu'elle découvrait son pouvoir de séduction.

Un dernier au revoir, auquel se joignirent la garde et la femme de chambre, et la voiture démarra.

François se tourna vers Annie et lui sourit :

— En route pour Cocoyoc, fit-il.

Le voyage se passa sans encombre et ils arrivèrent pour le déjeuner. M. Dauphin les accueillit avec joie. Il se remettait bien de ses troubles cardiaques et se déclara ravi de la venue d'Annie.

L'hacienda du XVIIe siècle, devenue hôtel, était l'ancienne demeure du marquis de la Vallée de Oaxaca. Annie admira les nobles proportions des salons et de la salle à manger, dont l'ameublement s'harmonisait avec la magnificence des lieux.

Après le déjeuner, Annie et François firent une brève promenade en tête à tête. François était obligé de regagner Mexico le soir même. Il ne pouvait s'attarder.

— Je vous appellerai demain matin, promit-il à la jeune fille, et je viendrai passer le prochain week-end avec vous. Encore quelques semaines de patience et vous serez complètement rétablie. Les mauvais souvenirs s'estomperont. Même votre cicatrice s'effacera, le docteur Juarez me l'a promis. Et s'il subsistait encore quelque marque, nous la ferions disparaître par une petite intervention de chirurgie esthétique. Ainsi, vous serez aussi belle que vous l'étiez dans votre robe du soir qui vous dénudait les épaules.

Un tendre baiser scella cette promesse.

Annie se retira de bonne heure dans sa chambre et écrivit une très longue lettre à Mamita. Elle lui raconta tout ce qui s'était passé, n'omettant aucun détail. Elle lui avoua l'amour qu'elle éprouvait pour François et lui apprit l'amour que François avait pour elle. La jeune fille était heureuse de faire partager sa joie à sa chère

Mamita, l'amie des bons et des mauvais jours. Sans aucune restriction, elle livra le secret de son cœur.

Longtemps, sa plume courut sur le papier et ce n'est que fort tard dans la nuit qu'elle alla enfin se coucher.

Les jours coulaient, calmes et tous semblables. Annie se levait tard, faisait la sieste, puis partait, chaque après-midi, se promener avec M. Dauphin. Celui-ci se révélait être un compagnon charmant, d'humeur toujours égale, à la conversation plaisante.

La vie à l'hacienda était des plus agréables, le cadre splendide et la contrée un vrai paradis, où le développement touristique s'alliait au respect de la nature.

Pourtant, Annie commençait à s'ennuyer. Elle passait son temps à guetter les appels téléphoniques de François et à espérer ses visites. Loin de lui, elle languissait.

Pendant deux week-ends de suite, François ne vint pas à Cocoyoc. Rappelé d'urgence à Paris par son éditeur, il partit, persuadé que son absence serait de courte durée. Des contretemps imprévus surgirent, qui le retinrent dans la capitale, où son séjour se prolongea. Il semblait à Annie que chaque heure durait une journée.

Maintenant que ses forces étaient revenues, elle supportait de plus en plus difficilement cette vie au rythme ralenti. Elle brûlait d'impatience à la pensée de reprendre une existence normale et se promettait de demander à François de la ramener à Mexico le plus vite possible.

Le second week-end sans François fut interminable. Le dimanche soir, il y eut un bal à l'hacienda. Annie n'y assista pas. Après le dîner, elle remonta dans sa chambre. Accoudée à la fenêtre, elle entendait les bruits qui montaient jusqu'à elle, l'orchestre, les pas des danseurs, les éclats de voix, les rires. Les fleurs du jardin exhalaient leurs senteurs douces et capiteuses. Des couples sortaient prendre le frais, s'égarant dans l'obscurité.

Annie était mélancolique. Elle avait la sensation d'assister, esseulée, à une fête dont elle était exclue.

Et, brusquement, une idée lui vint. Pourquoi ne pas rentrer à Mexico pour faire une surprise à François ? Puisqu'elle était tout à fait rétablie, pourquoi prolonger davantage une convalescence devenue fastidieuse ? A son retour de Paris, François la découvrirait là. Quelle joie ces retrouvailles seraient pour tous les deux ! Plus la jeune fille y pensait, plus son idée lui paraissait excellente. Son plan était facile à exécuter. Elle demanderait une des voitures de l'hacienda et se ferait conduire à l'Hôtel Maria Isabel Sheraton. Et là, elle n'aurait qu'à attendre François.

Le lendemain matin, Annie se leva très tôt. Elle allait et venait prestement dans sa chambre, chantonnant en faisant ses valises, gaie comme un pinson.

Puis, elle régla avec la direction de l'hôtel les détails matériels et alla informer M. Dauphin de son départ.

M. Dauphin était un homme d'esprit méthodique, hostile, par tempérament et par principe, à toute décision prise à la légère. Il s'étonna de ce départ prématuré qui ne lui semblait pas justifié et il conseilla à la jeune fille d'attendre à Cocoyoc le retour de François Monceau, dont on ignorait la date. Annie n'était pas à quelques jours, même à une semaine près. Pourquoi cette précipitation soudaine ? Que ferait-elle seule à Mexico ?

M. Dauphin raisonnait comme une personne d'âge mûr qui pèse le pour et le contre et Annie agissait en jeune fille éprise, impatiente de revoir celui qu'elle aime. Le dialogue était impossible.

Les conseils circonspects de son interlocuteur n'entamèrent pas la résolution d'Annie. Elle s'embarqua pour Mexico, abandonnant un M. Dauphin, désapprobateur.

Une grande effervescence régnait à l'Hôtel Maria Isabel Sheraton quand Annie y arriva.

A la réception, elle pria de faire monter ses bagages dans son ancienne chambre, qui lui avait été conservée, et elle demanda si on avait des nouvelles de François Monceau.

A l'énoncé de ce nom, un des préposés se retourna :

— M. François Monceau ? C'est dans le petit salon de musique.

Toute joyeuse, Annie se hâta de s'y rendre. Ainsi, François était rentré de Paris ! Comme elle avait eu raison de suivre son intuition et de revenir plus tôt ! Dans quelques instants, ils seraient réunis.

Arrivée devant la porte du petit salon de musique, Annie frappa. Personne ne répondit. C'était étrange. Elle allait se retirer quand elle crut entendre bouger à l'intérieur de la pièce. Il y avait quelqu'un. La jeune fille tourna le bouton et, ouvrant toute grande la porte, elle entra. Elle souriait de la surprise qu'allait avoir François.

Son sourire se figea sur ses lèvres.

Une femme était dans la pièce. Elle se tenait debout près de la harpe, dans une pose très étudiée. Elle fixa la jeune fille de ses yeux glauques.

Annie la reconnut. C'était Marisa.

La stupeur d'Annie fut telle qu'elle ne put rien dire.

Marisa aussi parut étonnée. Ce n'était manifestement

pas la jeune fille qu'elle s'attendait à voir paraître. Les deux femmes se regardaient, toutes deux sur le qui-vive.

Annie ne comprenait pas pourquoi on lui avait indiqué ce salon quand elle avait prononcé le nom de François Monceau. Elle réagit la première.

— Excusez-moi, dit-elle, je me suis trompée.

— Ce n'est pas moi que vous cherchiez ? demanda Marisa.

— Non.

— J'ai cru que vous veniez me prévenir de l'arrivée des journalistes.

— Pardon ? Les journalistes ?

— Mais oui, je les attends.

Le soin apparent que prenait Marisa pour renseigner Annie et son ton de persiflage alarmèrent la jeune fille. Elle pressentait une menace encore imprécise.

— Vous cherchiez peut-être quelqu'un d'autre ? questionna Marisa.

— Je ne vous cherchais pas.

— Vous n'avez donc pas appris que j'étais à Mexico ?

— Je dois vous avouer, madame, dit Annie d'un ton sec, que je ne vois pas l'intérêt que votre venue pourrait avoir pour moi.

— Vraiment ? Vous n'aviez pas le visage rayonnant d'allégresse quand vous m'avez reconnue.

— J'ai été surprise.

— Surprise et mécontente aussi.

— Excusez-moi, mais je n'ai pas le temps...

— Même si je vous parle de François Monceau ?

Annie s'apprêtait à sortir. Elle s'arrêta, troublée par cette question.

— Je ne crois pas devoir aborder ce sujet avec vous.

— Vous croyez ?

— J'en suis sûre.

— Pas moi. Puisque vous êtes là, parlons-en au contraire.

— Je n'ai rien à vous dire.

— Moi, si. Vous vous êtes imaginé un peu vite que c'était arrivé. Mais vous avez eu tort de croire qu'une idylle de vacances pouvait se transformer en un sentiment plus durable. Il y a eu le changement des habitudes, le ciel bleu, le soleil des tropiques... Et vous donnez aussi dans le genre sublime, à ce qu'on m'a dit.

Chacune des paroles de Marisa laissait percevoir la méchanceté sous-jacente, l'intention de blesser. Annie aurait voulu fuir, mais quelque chose de plus fort que sa volonté la retenait, comme une sorte de vertige morbide qui l'aurait saisie devant un abîme se creusant sous ses pas.

— J'ai été fâcheusement retenue à Paris par un accident survenu à ma mère, continuait Marisa, mais je sais tout ce qui s'est passé. Un de mes cousins, conseiller à l'ambassade d'Italie, m'a mise au courant. Les diplomates sont les gens les plus curieux et les plus bavards du monde. Il se trouvait au Sheraton le fameux soir du gala. Vous avez joué le tout pour le tout, grand amour, sacrifice, etc. Et vous avez cru gagner.

Elle s'approcha tout près d'Annie et darda sur elle un regard tellement haineux que la jeune fille frissonna.

— Je me suis toujours méfiée de vos airs de sainte nitouche. Mais nous sommes deux et je n'ai pas l'intention d'abandonner la partie.

Annie l'interrompit. Elle fit front.

— De quel droit vous mêlez-vous de ma vie privée et de celle de François?

Un sourire impitoyable étira les lèvres de Marisa.

— Du droit qui est le mien. J'ai revu François à

Paris. Il me suit, il arrive demain à Mexico. Nous sommes fiancés.

A la pensée d'une trahison aussi abominable, Annie était hors d'elle d'égarement et de douleur.

— C'est faux, cria-t-elle, c'est faux. François n'a pas fait une chose pareille. Il m'aime, il me l'a dit...

— Vous êtes jeune, jolie. François adore faire la cour aux femmes. Vous l'avez tiré d'un mauvais pas, cela l'a ému. Mais la reconnaissance n'est pas l'amour.

Annie se sentit chanceler. Elle dut s'appuyer au dossier d'un fauteuil.

— Ce n'est pas possible, murmura-t-elle. J'ai confiance en François. Je l'attends...

— Vous ne lisez donc pas les journaux ? questionna Marisa.

— Les journaux ?

Marisa alla vers une petite table sur laquelle étaient posés des quotidiens français. Elle en prit plusieurs, les déploya. Les tenant à bout de bras, elle revint les présenter à Annie.

A la une de chaque journal s'étalait le même titre en énormes caractères :

«ON ANNONCE LES FIANÇAILLES
DU CÉLÈBRE ROMANCIER
FRANÇOIS MONCEAU
AVEC MARISA ROSSI»

Il y avait aussi une photo pour illustrer les articles. Partout la même. Sur fond de feuillage, François, vêtu d'une chemise de sport rayée en tricot, à col ouvert, et d'un blue-jean, regardait Marisa, en robe d'organdi imprimé. On les voyait rire tous les deux.

— Vous comprenez maintenant pourquoi j'attends

les journalistes de Mexico, reprit Marisa. Ils vont venir m'interviewer. C'est la raison pour laquelle la direction de l'hôtel a mis le salon de musique à ma disposition.

Un voile noir passa devant les yeux d'Annie. Son cœur battait à tout rompre. Elle crut qu'elle allait s'évanouir, mais elle se raidit. Elle ne voulait pas donner à sa rivale le plaisir de la voir s'effondrer.

Sans dire un mot, la jeune fille se dirigea vers la porte et sortit. Elle traversa le hall comme une automate.

«Tout cela n'est pas réel, songeait-elle. Je suis en train de faire un cauchemar, un affreux cauchemar dont je vais m'éveiller. François fiancé avec cette femme!»

Elle monta dans son ancienne chambre, où tout était encore comme elle l'avait laissé. Précipitamment, elle réunit ce qui lui appartenait. Elle jetait ses affaires dans les valises, les empilait pêle-mêle, sans ordre ni soin. Elle avait hâte de fuir, de quitter cette chambre, cet hôtel, pour ne plus rien voir qui lui rappelât François.

Quand elle fut prête, elle descendit et fit chercher ses bagages. Malgré la chaleur, elle grelottait.

La voyant livide, le chef de la réception lui demanda si elle avait besoin de quelque chose et lui proposa de prendre un cordial. Annie refusa, et le pria d'appeler un taxi.

Le groom chargea les bagages dans le coffre arrière. La jeune fille monta dans le taxi. Elle appuya la tête sur les coussins et ferma les yeux. «Que vais-je devenir? Comme je souffre!» se répétait-elle, en plein désarroi.

Quand elle rouvrit les yeux, le chauffeur, assis au volant, attendait des instructions. Le groom restait là, planté à côté de la voiture. Annie hésita.

— A l'aéroport, décida-t-elle.

Arrivée à l'aéroport, la jeune fille prit un porteur et lui dit qu'elle se rendait au salon d'attente. Il la suivit, chargé des valises.

Annie le paya et s'assit dans un des fauteuils du salon, entourée de ses bagages. Elle laissa passer un long quart d'heure, puis appela un autre porteur. Elle lui fit faire, en sens inverse, le même parcours, cette fois vers la station de taxis.

De nouveau, on chargea les bagages, de nouveau Annie monta dans un taxi. Elle sortit de son sac à main un papier, sur lequel une adresse était inscrite, et le tendit au chauffeur.

La voiture roula longtemps et traversa des quartiers qu'Annie ne connaissait pas, loin du centre de la ville. La jeune fille finit par croire que le chauffeur s'était trompé ou qu'il avait mal compris. Finalement, après avoir longé une rue bordée d'un haut mur blanc, le taxi s'arrêta. Le chauffeur fit signe qu'on était arrivé.

Annie descendit. Elle se trouvait devant une porte en bois massif, encastrée dans le mur blanc, à la droite de laquelle pendait une poignée au bout d'une chaîne. Annie saisit cette poignée, la tira. Une clochette tinta. Le volet qui fermait la petite ouverture grillagée pratiquée dans la porte à hauteur de visage s'ouvrit. A travers le grillage, une voix féminine posa une question en espagnol. Annie répondit en français.

Elle entendit des chuchotements, des bruits d'allées et venues. Quelques instants plus tard, une autre voix de femme demanda en français à Annie ce qu'elle désirait.

Annie répondit qu'elle était parente d'une grande amie de Mère Philomène. Elle expliqua qu'elle souhaitait saluer la supérieure et lui demander si elle pouvait la prendre en pension pendant quelque temps.

La jeune fille ajouta qu'elle ne connaissait pas d'autre endroit à Mexico où elle pourrait se rendre.

La porte s'ouvrit alors et Annie pénétra dans le couvent des sœurs de la Visitation.

XIX

LA vie du couvent était rythmée par le son des cloches. Lorsque Annie entendait l'appel annonçant les matines, le jour commençait à poindre. Epuisée par une pénible nuit d'insomnie, la jeune fille tombait alors dans le sommeil, comme on tombe dans un trou. Il lui arrivait de se réveiller au moment où sonnait l'angélus de midi.

Les premiers jours, Annie n'avait pas quitté sa chambre. C'était une pièce plutôt petite, presque une cellule, d'une simplicité monacale, aux murs blanchis à la chaux, et sommairement meublée.

La jeune fille avait demandé qu'on lui apportât ses repas dans sa chambre, mais le plus souvent elle les renvoyait sans y avoir touché. Elle ne s'habillait plus, vaguant en peignoir toute la journée. Elle restait, des heures entières, prostrée dans un état de grand abattement, obsédée par le souvenir de cet amour qu'elle ne parvenait pas à effacer. Sans cesse, elle revoyait François se pencher vers elle, les yeux ardents ; sans cesse, elle l'entendait lui murmurer des mots d'amour de sa voix passionnée.

Et tout cela n'était que mensonge et comédie.

Il avait suffi de quinze jours d'absence pour que François perde jusqu'au souvenir de ses serments. Quinze jours pour qu'une Marisa triomphante et vindicative puisse narguer sa rivale en brandissant les journaux où s'étalait sa victoire.

Annie avait rompu tout lien avec l'extérieur. Elle se cachait pour souffrir, elle se cachait de François, de Marisa. Elle ne voulait pas assister à leur bonheur, elle ne voulait plus entendre parler d'eux.

Si la rupture avec Alain avait été une pénible déception pour la jeune fille, la trahison de François était un déchirement de tout son être, auquel s'ajoutaient les affres de la jalousie.

Au moment de son arrivée, Annie avait été accueillie avec brièveté par Mère Philomène, très occupée ce jour-là. Mais, au bout d'une semaine, elle fit dire à la jeune fille qu'elle serait heureuse de la recevoir pour faire plus ample connaissance; elle l'attendrait à cinq heures.

Annie accepta. Elle se prépara et, à l'heure dite, alla frapper chez la supérieure.

A l'entrée de la jeune fille, Mère Philomène écrivait, assise derrière un grand bureau. Elle se leva et alla au-devant de sa visiteuse.

La supérieure était une femme de haute taille, maigre et droite, au regard d'une grande vivacité. Elle salua chaleureusement Annie et la conduisit près de la fenêtre, où deux chaises étaient disposées autour d'une table basse. Elle fit asseoir la jeune fille et prit place à son tour.

Mère Philomène exprima de nouveau à Annie combien elle se réjouissait de la rencontrer. Puis la conversation roula sur Mamita. La supérieure était ravie d'avoir de ses nouvelles de vive voix. Elle posa de nombreuses questions. Elle parla avec émotion de son amitié pour Mamita et de leur jeunesse.

— Je m'en souviens comme si c'était hier, dit-elle, nous sommes allées ensemble à notre premier bal. Nous étions si impatientes et si anxieuses à la fois! Mais tout s'est bien passé, nous avons eu beaucoup de succès.

Il sembla étonnant à Annie qu'une religieuse, âgée de surcroît, évoque des souvenirs de divertissements aussi profanes. Mère Philomène le devina et sourit.

— Dans ce temps-là, j'aimais beaucoup danser, avoua-t-elle.

Annie la regardait. «Comme la vie est chose singulière! pensa-t-elle. Cette religieuse, au visage buriné sous la cornette, avait été une jeune fille souriant dans la glace à son image revêtue d'une robe de bal. Qui sait? Peut-être amoureuse de son beau cavalier?»

La supérieure était de même tournée vers le passé.

— Tout cela est bien loin, soupira-t-elle. Voilà plus de quarante ans que je n'ai pas revu Mamita. Nous avons dû bien changer, l'une et l'autre.

Elle revint à Annie.

— Mais parlons de vous, mon enfant. Vous permettez que je vous appelle ainsi? Vous pourriez être ma petite-fille. Quels sont vos projets? On me dit que vous ne quittez pas votre chambre. Etes-vous souffrante? Je vous trouve une petite mine, toute pâlotte et les traits tirés.

Annie assura qu'elle était seulement fatiguée et n'aspirait qu'au calme et au repos.

— Combien de temps comptez-vous rester? questionna la supérieure.

— Environ trois semaines.

— Je reçois des journaux français, je peux vous les prêter, si vous voulez.

— Non, merci. Je ne lis pas les journaux.

— Je comprends votre besoin de repos et je respecte votre désir de solitude, mais, à votre âge, il faut se distraire. Ne voulez-vous pas visiter Mexico ?

— Je connais la ville, puisque je viens d'y séjourner pour mon travail.

— Alors, reprit Mère Philomène, je vais vous présenter à une de nos pensionnaires, une jeune Canadienne française très gentille. Elle fait partie d'une mission qui effectue des travaux sur les vestiges de la civilisation maya. C'est passionnant. Elle travaille ici à Mexico, mais il lui arrive de partir pour le Yucatan et d'y passer quelques jours. Je suis persuadée qu'avec elle...

— Non, dit vivement Annie, je ne veux pas sortir du couvent...

Elle se sentit rougir sous le regard de la supérieure. Celle-ci n'insista pas.

L'entretien se poursuivit, seulement interrompu par le thé qu'on vint leur servir. Mère Philomène parla de choses diverses, de sa communauté, de l'histoire de sa congrégation.

Au moment où Annie prenait congé pour regagner sa chambre, Mère Philomène dit simplement :

— Vous êtes tout à fait libre dans cette maison et vous pouvez agir à votre guise. Il n'y a que deux points sur lesquels je serai intraitable : vous prendrez vos repas à la salle à manger et, si vous ne vous rendez pas en ville, vous passerez tous les après-midi dans le jardin.

Le ton était cordial, mais ferme. Annie ne répondit pas.

La supérieure lui mit affectueusement la main sur l'épaule.

— Moi aussi, j'ai été jeune, dit-elle. Et je m'en souviens.

Revenue dans sa chambre, Annie sortit ses vêtements et objets personnels de ses valises, ce qu'elle n'avait pas encore fait depuis son arrivée.

Au milieu du désordre, elle retrouva un mince paquet enveloppé de papier de soie. Elle l'ouvrit et considéra le dessin représentant le quetzal, le bel oiseau aux longues plumes. Elle esquissa un geste vers la corbeille à papiers, puis se ravisa. Avec une moue désabusée, elle remit le dessin dans son emballage et le replaça au fond de la valise.

La communauté se composait de vingt religieuses. Parmi elles, quelques novices, très jeunes et très gaies, et plusieurs sœurs d'âge vénérable, dont l'une ne se déplaçait plus qu'à l'aide de deux cannes.

Hormis Annie, une dizaine de pensionnaires séjournaient au couvent. La jeune Canadienne archéologue, dont avait parlé Mère Philomène, une Coréenne qui apprenait l'espagnol, une sociologue suisse enquêtant sur le Tiers Monde et quatre dames veuves et retraitées, qui y habitaient à l'année. Plus deux Américaines, membres d'une secte aux préceptes draconiens, interdisant le tabac, les aliments d'origine animale et tout contact avec les dancings et autres lieux de perdition, préceptes qui rendaient le tourisme difficile. Par esprit de tolérance, les religieuses avaient accepté de les héberger et leur mitonnaient des brouets à base de plantes et de graines.

Aucun homme n'avait le droit de pénétrer dans l'enceinte du couvent, à l'exception du jardinier, vieillard chenu au visage disgracieux, et de son aide, presque aussi vieux et tout aussi laid.

Suivant les instructions de Mère Philomène, Annie prit l'habitude de se rendre à la salle à manger. Cette obligation lui fit adopter un mode de vie moins anarchique que celui qui avait été le sien au début de son séjour au couvent. Bien qu'elle n'eût guère d'appétit, elle mangeait un peu et les conversations avec ses commensales la distrayaient de ses sombres pensées.

L'après-midi, la jeune fille se rendait au jardin, rempli de fleurs et d'oiseaux. A l'abri des hauts murs blancs de cette petite communauté, loin du monde et de ses périls, elle se sentait protégée pour un temps.

Elle s'installait au soleil. Parfois, elle s'endormait, bercée par la quiétude des lieux, retrouvant un sommeil qui la fuyait la nuit.

Il arrivait que Mère Philomène vienne lui tenir compagnie. La supérieure ne lui apportait jamais de journaux ni de magazines, mais des livres sur la civilisation et l'art aztèques, dont tant de vestiges subsistent au Mexique. Elle ne posait jamais de questions personnelles et n'abordait que des sujets de tout repos, telles la flore et la faune du pays, ou bien elle décrivait les temples mayas qu'elle avait visités.

Elle apprit à la jeune fille à attirer, au moyen de noisettes ou de graines de tournesol, les écureuils qui fourmillaient dans le jardin. Les petits animaux au pelage roux descendaient avec précaution, tentés par la gourmandise. Ils attendaient, guettant, immobiles et méfiants. Puis, prompts comme l'éclair, ils bondissaient, saisissaient la friandise et, en un clin d'œil, ils se retrouvaient au faîte d'un arbre. Là, ils s'asseyaient et, à l'aide de leurs pattes de devant, ils décortiquaient leur prise.

Quand ils avaient mangé, les écureuils, espiègles, lançaient sur Annie et Mère Philomène les écorces des graines et les coquilles de noisettes.

Ces moments de détente, ménagés par la bonté de la supérieure, faisaient le plus grand bien à Annie ; ils avaient le mérite de tromper son chagrin et de la détourner de son désespoir.

Annie s'était liée d'amitié avec sa voisine de table, Madeleine, la jeune Canadienne, membre de la mission archéologique. C'était une grande fille, aux manières simples et directes, au rire franc, au visage ouvert. Elle parlait de façon enthousiaste des fouilles auxquelles elle participait.

Au cours d'une conversation, Annie avait mentionné la nécessité pour elle de trouver une nouvelle situation dès son retour à Paris.

Lorsque, ce jour-là, les deux jeunes filles se retrouvèrent à la salle à manger, Madeleine entra tout de suite dans le vif du sujet.

— J'ai une proposition à vous faire, dit-elle à Annie. Vous cherchez un job, je crois ? Eh bien, si cela vous intéresse, il va y avoir une des places de documentaliste à pourvoir auprès du chef de la mission.

Annie s'étonna.

— Mais je suis tout à fait ignorante en archéologie.

— Le poste qui va devenir vacant n'était pas tenu par une spécialiste. Il l'était par une jeune femme qui va s'arrêter pendant six mois, parce qu'elle attend un bébé. Si cela vous tente de venir travailler à Montréal, dites-le-moi, je parlerai pour vous.

— Quelles démarches devrais-je faire pour travailler là-bas ?

— Vous obtiendrez facilement un permis de séjour pour six mois. A la fin du contrat, vous verrez ce que vous aurez envie de faire. Vous pourrez toujours repartir. Mais cela peut être une expérience amusante de passer six mois au Canada.

A la demande d'Annie, Madeleine donna des détails sur la nature du travail.

— Il faudra vous décider très vite, ajouta-t-elle. Le chef de la mission est impatient de savoir son équipe au complet. Il n'y a que son travail d'archéologue qui l'intéresse. Tout le reste, pour lui, est du temps perdu. Je peux vous garantir que, si vous acceptez, il sera ravi de ne pas avoir à se mettre à chercher une nouvelle documentaliste.

Annie promit de donner rapidement sa réponse.

La jeune fille était très tentée par cette offre imprévue. Tout le jour et une partie de la nuit, elle y pensa. Près de trois semaines s'étaient écoulées depuis son arrivée au couvent. Elle ne pouvait y demeurer plus longtemps. Le moment était venu de reprendre pied, de rentrer dans la vie normale. Pourquoi ne pas saisir cette occasion de partir pour l'étranger ? Pourquoi ne pas mettre l'océan entre elle et François ? Elle se plongerait à corps perdu dans de nouvelles tâches, une nouvelle existence, un nouveau pays. Le temps qui passe apporterait, sinon l'oubli, à tout le moins une atténuation de sa peine.

Après mûre réflexion, Annie décida d'accepter cette proposition et, dès le lendemain, elle en informa Madeleine.

La jeune Canadienne appela au téléphone le chef de la mission, se trouvant dans la cité de Chichen Itza, pour lui annoncer qu'elle avait trouvé une nouvelle recrue. L'archéologue, soulagé de voir son problème si vite résolu, répondit à Madeleine qu'il lui faisait confiance et qu'il était d'accord.

Annie commença donc ses préparatifs de départ. Madeleine avait rejoint la mission sur le terrain des fouilles. Tout le groupe devait rentrer à Mexico à la fin de la semaine et, le lundi suivant, reprendre le chemin du Canada. Annie serait du voyage.

La jeune fille profitait de ses dernières heures de farniente. Elle savait qu'il lui arriverait de regretter le havre de paix qu'était le couvent, mais elle était maintenant désireuse de quitter le Mexique.

«Je n'y reviendrai jamais, pensait-elle, cette page de ma vie est définitivement tournée.»

Cet après-midi-là, Annie s'était installée pour prendre un bain de soleil dans le jardin déserté par les pensionnaires, les plus jeunes déjà en promenade, les autres, se reposant à l'ombre des persiennes closes.

Annie portait une robe à bretelles, en léger coton blanc. Elle éprouvait un grand bien-être à se sentir caressée par les rayons lumineux qui l'engourdissaient de chaleur. Autour d'elle, les oiseaux préparaient leurs nids. La poussée de la végétation annonçait l'exubérant printemps des tropiques.

Au bout d'un moment, Annie eut trop chaud, malgré sa robe d'été. Elle se leva de son transat et gagna l'abri des frondaisons. Une clairière s'ouvrait devant elle. Il y faisait bon. La jeune fille ôta ses sandales et marcha deci de-là sur la mousse, qui couvrait le sol de son tapis moelleux.

Un petit vent circulait sous la ramure. Annie étendit les bras pour mieux se sentir enveloppée par cette brise rafraîchissante.

Un bruit de pas fit crisser le gravier de l'allée. Annie regarda. Elle distingua dans le grand soleil une silhouette masculine, quelqu'un arrivait du bout du jardin.

«Les hommes n'ont pas le droit de pénétrer dans le

couvent. Ce n'est ni le jardinier, ni son aide. Qui cela peut-il être ? »

L'homme était seul. De plus en plus intriguée, Annie suivit l'inconnu du regard. Il se dirigeait vers l'endroit où elle avait pris son bain de soleil. Il s'arrêta, hésita. La jeune fille ne le quittait pas des yeux.

L'homme mit la main en visière pour se protéger de l'aveuglante réverbération. Il fit plusieurs tours sur lui-même, lentement, observant de tous côtés. Puis il abaissa la main et se remit en marche.

« Mais il vient par ici », remarqua Annie.

Quand il fut sous le couvert des arbres, elle put distinguer ses traits.

Alors, Annie laissa échapper un long cri. Elle porta les mains à son visage, comme si elle voulait se voiler la vue, se protéger contre un dangereux mirage.

François était devant elle.

Il s'avança, presque à la toucher. Elle s'écarta vivement.

— Non, dit-elle, non, je vous en prie, vous m'avez fait trop de mal. Laissez-moi en paix.

Elle était saisie d'une émotion qui la faisait frissonner.

— Pourquoi êtes-vous ici ? demanda-t-elle avec véhémence. Pourquoi venir me tourmenter ? Que me voulez-vous ?

— Vous dire combien je suis heureux de vous avoir retrouvée. Je vous ai tant cherchée, si désespérément. Ne me repoussez pas.

Cette voix grave aux intonations chaudes, cette voix aimée qu'elle n'avait pas entendue depuis si longtemps la bouleversait. Annie ferma les yeux. François contempla le tendre visage aux yeux clos.

— Annie... appela-t-il.

La jeune fille rouvrit les yeux. Ce n'était pas une illusion, François était toujours là devant elle.

Mais elle refusait de se laisser convaincre.

— Pourquoi êtes-vous venu ? répétait-elle. Alors que vous êtes fiancé avec Marisa. J'ai vu les journaux...

François serra les mâchoires. Ses traits se durcirent.

— Marisa est un monstre, elle a voulu nous séparer.

Son ton se radoucit.

— Je vous en supplie, ma chérie, écoutez-moi. Laissez-moi vous expliquer. Ces articles qui ont paru — à mon insu — étaient inspirés par elle. Elle a fait transmettre, par des amis, la nouvelle de nos prétendues fiançailles aux journalistes, comme étant le scoop de l'année. Ce n'est qu'à mon arrivée à Mexico que j'ai eu connaissance de ces articles.

— Mais vous l'avez revue à Paris ?

— Elle est venue me relancer. Je lui ai dit que tout était fini entre nous, que je vous aimais. Alors, elle a manigancé l'affaire pour me forcer la main, en me mettant devant le fait accompli. Mais, soyez tranquille, je l'ai chassée de ma vie à tout jamais. On ne me choisit pas, c'est moi qui choisis.

— Pourtant cette photo... tous les deux...

— Une photo prise l'année dernière au cours d'un déjeuner à la campagne chez des relations communes. C'est encore Marisa qui l'a fait remettre aux journaux. Ce qui vous explique que tous les articles étaient accompagnés du même cliché.

— Tout cela est si imprévu... je ne sais pas... je ne sais plus...

— Annie, il faut me croire. Quand je suis rentré de Paris, que j'ai su ce qui s'était passé, il était trop tard. Vous étiez déjà partie, vous aviez fui. Si vous saviez combien j'ai souffert ! Je n'ai plus eu qu'une seule idée, qu'un seul désir: vous retrouver. Mais vous aviez brouillé votre piste. Nul ne vous avait vue, ni à Mexico ni à Paris, je vous avais perdue!

— Et comment avez-vous su que j'étais ici?

— Je ne l'ai appris qu'hier. Grâce à Charles, mon fidèle Charles. Je lui téléphonais chaque jour pour savoir si on avait des nouvelles de vous. C'est lui qui s'est souvenu que vous aviez parlé une fois de Mamita, mais nous ne connaissions pas son adresse. Comme un limier, il s'est lancé sur la piste. Il a fini par découvrir Mamita. Elle aussi ignorait où vous étiez, mais elle a tout de suite pensé au couvent de la Visitation. Je suis accouru, j'ai raconté toute notre histoire à Mère Philomène. Elle m'a révélé que vous étiez là et que vous partiez lundi pour le Canada. Je l'ai implorée de me laisser vous voir. Je ne peux pas vivre sans vous.

— Et c'est elle qui vous a permis d'entrer dans le jardin défendu?

— Oui, dit François. Pour nous, elle a consenti à enfreindre une des règles les plus sévères de son ordre. C'est elle qui m'a autorisé à venir vous rejoindre ici pour plaider ma cause. Je suis là, nous nous sommes retrouvés. Je frémis à la pensée que nous aurions pu nous perdre pour toujours.

Annie leva vers lui un regard devenu très grave.

Avec une extrême douceur, François prit le visage d'Annie dans ses mains et le caressa. Ses doigts effleurèrent le cou et la nuque de la jeune fille, se posèrent sur ses épaules.

«Tout se passe comme dans mon rêve, pensa Annie, exactement comme dans mon rêve, mais c'est encore plus beau.»

François se pencha vers elle. Leurs lèvres se joignirent en un long baiser.

Lentement, François se redressa.

— Je rends les armes, fit-il, je suis vaincu par l'amour. Annie, veux-tu m'épouser ? Veux-tu être à moi pour la vie ?

La jeune fille se serra contre la poitrine de François, dans un geste d'acquiescement.

— Je t'aime, murmura-t-elle.

La nature elle-même semblait s'être mise à l'unisson de cet instant unique. Au loin, dans l'évanescente transparence de l'air, les deux immenses montagnes dominant la ville brillaient, sous le soleil, de tout l'éclat de leurs neiges éternelles.

Un colibri, corolle vivante, tournoyait affairé dans la clairière. Des papillons erraient à petits coups d'ailes, voletant d'une fleur à l'autre.

Annie et François se souriaient tendrement.

Leur amour retrouvé les unissait. Rien ne pourrait plus les séparer.

Achevé d'imprimer
le 15 septembre 1980
sur les presses de
Métropole Litho Inc.
Anjou, Québec - H1J 1N4

Dépôt légal — 3e trimestre 1980
Bibliothèque Nationale du Québec

COLLECTION TURQUOISE

Une femme. Un homme.
Un endroit de rêve.
Une belle histoire d'amour.

La collection Turquoise
vous fera aimer, pleurer, partir
et vivre des aventures et des passions
hors du commun.

ÈVE SAINT-BENOIT

LA FIANCEE DU DESERT

En arrivant au palais estival
d'un prince oriental,
Jeanne Roche compte avant tout
sur son intelligence et sa beauté.
Elle apprendra à ses dépens
qu'elle doit aussi compter sur son courage.
Dans cet univers impitoyable,
où le plus fort gagne toujours,
un seul homme pourrait aider Jeanne.
Or Roland Duvivier est une énigme
et une vieille prédiction
hante l'esprit de la jeune fille...